낭만주의는 페시미즘이다

-art essay

머리말

이 책은 필자가 대학원에서 비교문화를 전공할 때 쓰여진 것들이 바탕을 이루고 있지만 일부는 카카오 브런치 스토리에 게재했던 문예사조, 문화운동 관련 글이기도 하다.

문학과 예술, 문화와 문명에 관한 다각적 고찰이라 할 수 있으며 그것의 배후와 근간을 이루는 인간 무의식의 탐구라 할 수 있다.
특히 후반 축제의 장에서 볼 수 있는 것처럼 축제는 인간의 가학/자학이 어둡게 뒤엉킨 난장의 장이다.

니체로부터 시작한 현대 서구 예술론은 이런 인간의 무의식과 욕망에 관한 무수한 담론과 수많은 이론가를 배출하였고 그들로부터 지금의 포스트모더니즘 (혹은 포스트 포스트모더니즘)이 탄생했다 할 수 있다.

첨부된 사진의 대부분은 google에서 가져왔음을 밝힌다.

지은이

박순영

방송작가, 소설가, 카카오 브런치 스토리 작가, 출판사
<로맨>대표

소설집<엑셀>
소설집 <응언의 사랑>
소설집 <페이크>
사회심리학 <재혼하면 행복할까 (개정판 , 공저)>

차례

<sf와 디스토피아>

어쩐지 현실이라는 틀이 답답해질 때면 우린 흔히 이 세상 밖, 우리의 고정관념 밖으로 도망치고 싶어진다. 보들레르의 시 <세상밖 어디든지>에 나오는것처럼, '내가 있지 않은 어떤 곳으로 가면 좀 자유롭게 살수 있을거 같다'는 생각을 하면서.

문학, 예술에서 흔히들 이런 프레임을 벗어난 설정과 개념, 캐릭터를 등장시킬 때 우린 그걸 sf, 혹은 판타지라 부른다. 그렇다면 이 둘의 근본적 차이는 무얼까?

혹자는 '그 세계관에 있는 마법 또는 기술이 개인에 따라 달라지거나 특정 인물만이 쓸 수 있으면 판타지, 모든 대중들이 쓸 수 있으면 sf에 가깝다고 한다. 중세 이후 증기기관이나 전기가 쓰이기 시작한 이후라면 순수한 판타지라 보기 힘들다. 종교나 신에 의한 영향력이 있다면 판타지'라 부르기도 한다.

그러나 근래 들어 이 둘은 믹스된 형태로 곧잘 혼용돼서 쓰인다. 문학에서의 판타지는 문학의 보편적 특성중 하나를 일컫는 용어이다.

이때의 판타지는 모방과 함께 문학을 이루는 근본 본성의 하나라고 여겨지며, 현실을 모방한 것이 아닌 상상력의 작용으로 이루어진 결과물을 뜻한다. 심리학에서의 판타지는 의식적, 무의식적이건 마치 이야기처럼 전개되는 정신작용을 일컫는 용어이다. 음악에서의 판타지는, 형식에 구애받지 않고 악상이 떠오르는대로 자유롭게 작곡하는 기법을 일컫는 용어이다.

사이언스 픽션(Science Fiction)(약칭 SF)은 '과학적 사실이나 가설을 바탕으로 외삽한 세계를 배경으로 펼쳐지는 이야기를 담은 문학 장르인 과학소설(科學小說) 또는 SF 소설을 가리키며, 나아가서는 그런 요소를 가진 영화 등의 다른 매체들의 장르를 포괄하는 단어'다.

sf 문학은 개론적으로는 과학적인 혁신과 그것이 인간 생활에 끼치는 영향을 즐겨 다루고 1세기가 넘는 역사를 통해 세분화 된 광범위한 하위장르와 주제를 가지고 있어 한마디로 정의하기 어렵다.

유명작가들이 저마다 sf를 정의하곤 했는데 우선 작가이자 편집자인 나이트는 "우리가 손을 들어 가리키면 그것이 바로 SF이다" 라고 , 작가 글래시는 "SF의 정의는 포르노그래피의 정의와 같다. 당신은 그게 뭔지 모르지만, 보는 순간 알게 된다." 나보코프는 엄밀하게 정의하면, 셰익스피어의 희곡 《템페스트》는 SF여야 한다고 주장했다.(이는 《프랑켄슈타인》 1818년판 서문에서 언급되는 내용이기도 하다.) 작가인 하인라인에 의

하면, "과학적 방법의 의미와 자연에 대한 철저한 이해, 그리고 미래와 과거의 현실 세계에 대한 충분한 지식에 기반한, 가능한 미래의 사건들에 대한 현실적인 추측"이라고했고 설링은 "판타지는 개연성 있게 만들어진 불가능한 것. SF는 가능하게 만들어진 개연성 없는 것."이라고 하기도 했다.

SF의 요소로는 다음과 같은 것들이 있는데 시간선상의 미래, 혹은 역사학적이거나 고고학적인 진실과 모순된 역사적 배경 등의 시간적 설정이 그것이다.
외우주(예시: 우주 여행), 다른 세계, 지저 세계 등의 공간적 배경, 장면과 외계인, 돌연변이, 안드로이드 혹은 휴머노이드 로봇, 그리고 인류의 진화 과정에서 나타난 다른 캐릭터들, 광선총, 순간이동 장치, 휴머노이드 컴퓨터 같은 미래적이거나 그럴듯한 기술, 시간 여행, 윔홀, 초광속 여행, 앤서블을 비롯한 새로운, 혹은 기존의 물리법칙과 모순되는 과학적 법칙, 그리고 디스토피아, 포스트 자원고갈, 포스트 아포칼립스처럼 새롭거나 다른 정치적, 혹은 사회적 시스템, 마인드 컨트롤, 텔레파시, 염력, 순간이동과 같은 불가사의한 능력,다른 세계, 차원과 그곳을 오가는 여행 등이 있다.

한국에선 일본어 오역의 영향으로 오랫동안 sf를 '공상

과학'이라 번역했으나 근래 들어'과학소설'로 바꿔부르는 데 노력을 기울여왔고, SF 문학과 SF 영화가 크게 주목받기 시작한 2020년대 이후에는 언론계에서도 영화, 만화, 게임 등 여타 매체를 포함한 광범위한 장르의 이름으로서 '공상과학'이 아닌 'SF'가 점점 우위를 점하는 중이다.

참고로 사이파이(Sci-fi)란 SF가 대중문화로 확산되면서 과거에 비해 더 오락 지향적인 SF물이 많이 등장하게 되었고, 일부 영화 비평가들이 저급한 'B급 SF 영화'를 'Sci-Fi'라고 부른데서 유래한다.

sf 의 역사를 살펴보기로 한다. SF를 사색과 스토리텔링을 통해 세계를 이해하기 위한 수단으로서 파악한다면, 이 장르의 기원은 신화와 역사의 경계가 흐릿하던 시대로까지 거슬러 올라가, 2세기 루시안의 진짜 역사 아라비안 나이트 설화, 10세기의 다케토리 이야기, 13세기 이븐 알나피스의 독학신학(Theologus Autodidactus)등까지 거론될 수 있다.

막 싹트기 시작한 이성의 시대의 생산물들과 근대 과학의 발전에 따라 나타난 스위프트의 〈걸리버 여행기〉(1726)는 볼테르의 〈마이크로메가스〉(1752)와 케플러의 〈솜니움〉(1620~1630)과 더불어 최초의 사이언스 판타지 작품들 중 하나다. 아시모프와 세이건은 〈솜니움〉을 최초의 SF로 여긴다. 《솜니움》에서는 달 여행과 달에서 바라본 지구의 움직임이 묘사돼있다. 영국인 귀족 여성 마거릿 캐번디시의 〈빛나는 세계〉(1666) 역시 초기 SF의 전조로 여겨진다. 또다른 예시는 홀버그의 소설 〈닐스 클림의 지하 여행〉(1741)이다.

18세기 문학 양식으로서 소설의 발달에 뒤따라, 19세기엔 셸리의 〈프랑켄슈타인〉(1818)과 〈최후의 인간〉에 의해 SF소설은 보다 입지를 다지게 되는데 올디스는 〈프랑켄슈타인〉이 최초의 과학소설이라고 주장했다. 이보다 나중에 포는 달 여행을 그린 소설 한 편을 썼다. 이밖에도 더 많은 예시들이 19세기 전반에 걸쳐 나타났다. 전기, 전보와 같은 새로운 기술, 새로운 교통시설의 출현에 따라 웰스와 베른은 사회의 다양한 계층에게서 광범위한 인기를 얻은 작품들을 창작했다. 웰스의 〈우주 전쟁〉(1898)은 발달된 무기를 장착한 세 발 달린 전투 기계를 탄 화성인들이 후기 빅토리아 시대의 영국을 침략하는 이야기를 그렸다. 이것은 외계 침공을 실감나게 묘사한 소설이다. 19세기 후반, 영국에서 이 픽션을 기술하기 위해 "과학적 로망스(scientific romance)"라는 용어가 사용됐다. 이것은 1884년 애벗의 노벨라 《플랫랜드: 다차원의 이야기》를 비롯한 많은 작품을 낳았다. 이 용어는 20세기 초반 스테이플던 같은 작가들에게까지 이어졌다.

20세기 초반, 어메이징 스토리즈의 발간인 건스백에 영향받아 미국 sf 작가들이 약진했고 그들은 주로 펄프 매거진을 통해 활동했다. 1912년 버로스는 화성을 배경으로 존 카터가 영웅으로 활약하는 장기 시리즈인 바숨 시리즈의 첫 번째 소설 《화성의 프린세스》를 출간한다. 1928년, 필립 놀란이 어메이징 스토리즈에 벅 로저스의 원작 소설 아마겟돈 2419를 실은 것은 획기적인 사건이었다. 이 이야기는 벅 로저스(1929), 브릭 브래드퍼드(1933), 플래시 고든(1934)으로 이어지는 연재 만화의 바탕이 됐다. 이 연재 만화와 연속된 영화 시리즈는 SF를 대중화시켰다.

1950년대 비트 세대는 버로스 같은 사변적 작가들을 포괄한다. 1960년대와 1970년대 초반, '문학적'이거나 예술적 감성의 지식인적 자의식으로 가득찬 일련의 작가들이 형식이나 내용에 있어 높은 강도의 실험적 시도를 벌인 뉴웨이브가 영국을 중심으로 발흥했고, 동시기 미국에서는 허버트, 딜레이니, 젤라즈니, 엘리슨 등의 작가들이 새로운 경향, 사상, 스타일을 탐구한다. 르권과 다른 작가들은 소프트 SF 분야를 개척했다.
1980년대, 깁슨 같은 사이버펑크 작가들은 전통적인

SF의 낙관론과 발전에 대한 지지에서 방향을 돌렸다. 근미래에 대한 디스토피아적인 관점은 딕의 소설 《안드로이드는 전기양의 꿈을 꾸는가?》와 《도매가로 기억을 팝니다》에 묘사되었다. 《스타 워즈》 프랜차이즈는 과학적 엄밀함보다는 이야기와 캐릭터에 더 신경을 쓰는 스페이스 오페라에 대한 관심을 불러일으켰다. C. J. 체리의 외계인의 삶과 복잡한 과학적 도전에 대한 자세한 탐구는 후대 작가들에게 큰 영향을 미쳤다.

1990년대엔 환경 문제, 글로벌 인터넷과 확장된 정보의 우주의 의미, 바이오 테크놀러지, 나노 테크놀러지, 포스트 냉전, 포스트 자원고갈 사회에 대한 관심을 비롯한 주제들이 급부상했다. 스티븐슨의 《다이아몬드 시대》는 이러한 주제들을 종합적으로 탐구했다. 로이스 맥마스터 부졸드의 《보르코시건 시리즈》는 캐릭터 중심 서사로 되돌아왔다.
기술적 변화의 급격한 속도에 대한 우려는 빈저의 소설 《실시간으로 버려지다》(Marooned in Realtime)로 대중화된 기술적 특이점이란 개념으로 구체화 되고, 이는 다른 작가들에게도 영향을 끼쳤다.

SF는 발전과 미래 기술을 비판하기도 했지만 혁신과 새로운 기술을 독려하기도 했다. 이 주제는 SF분야보다는 문학과 사회학에서 더 많이 논의되어왔다. 영화와 미디어 이론가인 비비안 소브책은 SF영화와 기술적 상상력 간의 영향 관계를 검토했다. 기술은 예술가들과 그들이 허구적 주제를 다루는 방식에 영향을 미쳤지만, 동시에 가상 세계는 과학의 상상력을 확장시켰다.

SF의 범주를 보면 우선 하드 SF가 있다. 하드 과학소설, 혹은 "하드 SF"는, 자연과학, 특히 물리학, 천체 물리학, 화학의 정확한 세부사항에 대한 엄격한 관심, 혹은 더 발전한 기술이 가능하게 만들었을 세계에 대한 정밀한 묘사로 특징지어진다. 과학 분야의 석박사 학위를 가진 작가들이 압도적으로 많은 것도 특징이다. 현직 과학자 출신, 수학자들이 그들이다. 21세기의 가장 주요한 하드 SF 작가들로는 테드 창, 그레그 이건, 그레그 베어, 로버트 J. 소여, 스티븐 백스터, 얼레이스터 레널즈 등이 있다.

다음은 소프트 SF인데 이것은 사회 과학, 이를테면 심리학, 경제학, 정치학, 사회학, 인류학에 기반한 작품들이라고 넓게 정의될 수 있다. 이 분야에서 유명한 작가로 르귄, 딕 등이 있다. 소프트 SF라는 용어는 하드 SF에 비해 엄밀한 범주는 아니며, 과학 및 과학기술의 묘사에 많은 힘을 쏟는 하드 SF에 비해, 인물 조형과 문장의 완성도에도 같은 정도 또는 그 이상으로 주의를 기울인 SF 소설들을 지칭하는 용어다. 그랜드 마스터 브래드버리는 자타가 공인하는 소프트 SF의 거장이다. 동구권은 폴란드 작가 렘, 자이델과 소련 작가 스트루가츠키 형제, 불리초프, 자먀틴, 예프레모프 등이 방대한 분량의 사회과학적 SF 소설을 생산해냈다. 어떤 작가들은 하드 SF와 소프트 SF 사이의 경계를 오가기도 했다.

사회과학 소설과 소프트 SF는 유토피아와 디스토피아 이야기와 연관된다. 오웰의 《1984》, 헉슬리의 《멋진 신세계》, 애트우드의 《시녀 이야기》가 그 대표적인 사례다. 스위프트의 《걸리버 여행기》는 풍자 소설 또한 과학소설이나 사변소설로 간주된다.

다음은 사이버펑크가 있다. 이것은 1980년대 초반에 등장했다. 이 용어는 사이버네틱스와 펑크의 합성어로서, 베트케의 1980년 단편 《사이버펑크》를 통해 처음 소개되었다. 시간적 배경은 주로 근미래이며, 설정은 대개 디스토피아적이고, 특유의 고통으로 형상화된다. 사이버펑크의 일반적인 주제는 정보 기술, 특히 사이버스페이스를 통해 시각적으로 추상화된 인터넷의 발전, 인공 지능, 기업이 정부보다 강한 영향력을 지닌 포스트-민주주의 사회적 제어 등이다. 니힐리즘, 포스트 모더니즘, 필름 느와르 기법이 일반적인 요소이며, 주인공은 반항적인 안티 히어로일 때도 있다. 잘 알려진 작가로 깁슨, 스털링, 스티븐슨, 캐디건이 있다. 제임스 오흘레이는 1982년 영화 《블레이드 러너》를 사이버펑크 비주얼 스타일의 결정적인 예시라고 말했다. 이것은 후에 오시이의 《공각 기동대》나 워쇼스키 형제의 매트릭스 시리즈 등의 영상물에도 강한 영향을 미쳤다.

커트 보니것 주니어 (1922-2007)

다음은 시간 여행을 들 수 있다. 시간여행물은 18세기나 19세기에 그 전신이 나타난다. 최초의 중요한 시간여행 소설은 트웨인의 〈아서왕 궁전의 코네티컷 양키〉다. 가장 유명한 소설은 웰스의 1895년작 《타임 머신》이다. 트웨인의 소설과 비교했을 때 웰스의 소설에선 시간여행 장치가 조종자의 의지에 따라 움직인다는 차이가 있다. "타임 머신"이라는 용어는 웰스가 만들어낸 것이며, 이젠 시간여행 장치를 부르는데 보편적으로 쓰이고 있다. 《백 투 더 퓨처》역시 대표적이다.

대체 역사범주란 역사적 사건이 다르게 전개됐을 수도 있다는 전제를 바탕에 깔고 있다. 이 분야의 소설들은 종종 과거를 바꾸기 위해 시간 여행을 동원하거나, 간단하게 우리의 역사와는 다른 우주를 설정한다. 미국 남북 전쟁에서 남군이 이겼다는 가정하에 전개되는 무어의 《희년을 선포하라》(Bring the Jubilee)나 독일과 일본이 제2차 세계대전에서 승리했다는 가정하에 전개되는 딕의 《높은 성의 사나이》가 이 분야의 고전이다. 터틀도브는 이 분야의 가장 눈에 띄는 작가이며, 종종 "대체 역사 마스터"로 불린다.

한국에서는 상술한《높은 성의 사나이》에서 영감을 얻은 복거일의 《비명을 찾아서》가 이 분야의 효시로 손꼽힌다.

다음은 밀리터리 SF를 들 수 있다. 이것은 국가, 행성,

항성간의 군사 분쟁을 배경으로 삼은 하위장르이며, 가장 중요한 캐릭터는 군인이다. 밀리터리 SF는 군사 기술, 절차, 의식, 역사의 세부사항을 포함하며, 종종 실제 일어난 역사적 분쟁을 거울처럼 비춘다. 하인라인의 《스타쉽 트루퍼스》는 고든 딕슨의 《도사이》와 함께 이 분야의 초기작이다. 초기 작가 조 홀드먼의 《영원한 전쟁》은 베트남 전쟁을 제2차 세계 대전 스타일로 창작한 이 장르에 대한 비판이다. 존 링고, 데이비드 드레이크, 데이비드 웨버, 톰 크래트먼, 마이클 Z. 윌리엄슨, S. M. 스털링, 존 F. 칼, 돈 호스론 등이 이 분야에서 눈에 띄는 작가이다.

다음은 초인물 범주로 평범한 인간보다 더 뛰어난 능력을 가진 인간들의 등장을 주제로 다루는데, 스테이플던의 소설 《이상한 존》과 스터전의 《인간을 넘어서》, 와일리의 《검투사》에서처럼 자연적 발생을 기원으로 삼거나, 아니면 밴보트의 소설 《슬랜》에서처럼 과학적 진보를 통한 의도적인 개조를 기원으로 삼는 경우도 있다. 초인물이 주로 초점을 맞추는 것은 초인들을 보는 사회의 반응과 초인들이 느끼는 소외감이다. 초인물은 현실 사회에서도 인간 개조에 대한 토론에서 일정한 역할을 한다. 폴의 《맨 플러스》 역시 이 카테고리에 포함된다.

다음은 아포칼립스, 포스트-아포칼립스 범주를 들 수 있다. 아포칼립스물은 전쟁을 통한 문명의 종말(해변에서), 전염병(최후의 인간), 운석 충돌(세계가 충돌할 때), 생태학적 재해(미지에서 불어온 바람), 그리고 기타 일반적 재해나 재해 발생 이후의 세계와 문명에 대해 다루는 하위장르이다. 스튜어트의 소설 《견디는 지구》(Earth Abides)와 팻 프랭크의 <아아, 바빌론> 등이 이 분야의 전형이다.

포스트-아포칼립스물이 근미래(매카시의 《로드》)에 닥친 재앙의 여파부터 375년 후의 미래(바빌론의 물로 인해), 수백 수천년 후의 미래(러셀 호반의 <리들리 워커>, 월터 M. 밀러 2세의 <레보위츠를 위한 송가>)까지 광범위하게 다루는 데 비해, 아포칼립스물은 일반적으로 재앙 그 자체와 그 직후의 여파를 다룬다. 아포칼립스 SF는 비디오 게임에서 인기있는 장르이다. 비평적으로 찬사를 받은 <폴아웃> 시리즈는 핵전쟁의 생존자들이 살아남기 위해 몸부림치고 사회를 재건하기 위해 애쓰면서 점차 회복되어 가는 포스트 아포칼립스적 지구를 배경으로 한다.

다음으로 스페이스 오페라를 들 수 있다. 이것은 작중 일부, 혹은 작중 전체를 외우주나 여러 개의 (때로 멀리 떨어진) 행성들을 배경으로 삼는 SF모험물이다. 갈등은 대개 영웅적이고, 대규모로 발생한다.

"스페이스 오페라"라는 용어는 때로 황당한 플롯, 터무니없는 과학, 골판지 같은 캐릭터를 가리키는 말로써 경멸적으로 쓰인다. 하지만 이 용어는 동시에 노스탤지어적으로도 쓰이며, 현대 스페이스 오페라는 SF의 황금기 시절의 경이감을 재탈환하기 위한 시도를 하고 있다. 이 서브장르의 선구자는 <종달새>와 <렌즈맨 시리즈>를 쓴 에드워드 E. (닥) 스미스이다. 조지 루커스의 스타 워즈 시리즈는 스페이스 오페라 영화 중 대표작이다. 이 시리즈는 온 우주를 가로지르는 선과 악의 장엄한 대결을 다룬다. 알래스터 레이놀즈의 묵시론 우주(Revelation Space) 시리즈, 피터 F. 해밀턴의 보이드 삼부작, 밤의 새벽, 판도라의 별 시리즈, 버너 빈저의 심연 위의 불길, 하늘의 깊이는 이 장르의 새로운 모델이다. 비디오 게임계에서 나타나는 스페이스 오페라의 좋은 예로 <매스 이펙트 시리즈>가 있다.

사회 과학 소설범주란 인간 사회와 SF적 설정에 배치된 인간의 본성에 초점을 맞춘 SF 하위장르이다. 인류에 대한 사변에 집중하는 대신 과학적 엄밀함엔 신경을 덜 쓰기 때문에 보통은 소프트 SF로 분류된다.

다음은 팬 픽션을 들수 있는데 애호가들 사이에선 주로 "팬픽"으로 불리고 이것은 기존의 책, 영화, 비디오 게임, TV 시리즈(드라마) 등의 설정을 바탕으로 창작되는 비영리적 픽션을 일컫는다. 이 현대적인 의미의 용어는 (1970년대 이전의) 전통적인 "팬 픽션"의 의미와 헷갈리기 쉽다. 본래 팬덤 커뮤니티 내에서 팬 픽션이란 팬들이 창작해 팬진에 실은 (종종 팬들 자신을 작중 인물로 활용한) 오리지널, 패러디 픽션을 말하는 것이었다. 한 예로 1956년 아일랜드 팬 존 베리가 그와 아서 톰슨의 팬진인 《징벌》(Retribution)에 실은 <군 디펙티브 에이전시(Goon Defective Agency)> 이야기가 있다. 최근 몇년간, SF 우주간의 콜라보레이션을 지향하는 오리온의 팔, 갤럭시키 등의 사이트가 각광을 받고 있다.

이제 간략하게 아프리카,프랑스, 캐나다의 sf 흐름을 살펴보기로 한다.

우선 21세기 아프리카sf는 " 아프리칸 퓨터리즘 Africanfuturism '으로 불린다. 이 말은Nnedi Okorafor 가 만든 것이다. 그러나 근래 들어 아프리카 작가들은 afrofuturism과 africanfuturism의 차이를 인식, 전자의 사용을 마뜩지 않아 한다. 후자가 더욱더 아프리카적 관점, 문화, 주제 등에 관심을 갖는데 반해 전자는 아프리카 디아스포라 역사 ,문화, 주제에 관심을 더 갖는 것으로 생각한다. 혹자는 아프로퓨터리즘을 서구백인의 가치관과 융합된 것으로 보기도 한다.

나이지리아계 미국작가 Nnedi Okorafor 의 <Who Fears Death, Lagoon, Remote Control, The Book of Phoenix and Noor>를 적절한 예로 들수 있다. 그리고 아프리칸 퓨처리즘 영화는 흔치 않고 그나마 평자들에게서 혹평을 받는데 그것은 식민사관에서 크게 벗어나지 않았다는 게 이유다. 근래 아프리칸퓨처리즘 영화들로는 <Hello, Rain, Pumzi, and Ratnik>등이 있고 <Binti and Who Fears Death. (2020)> 같은 소설도 활발히 번역되고 있다.

프랑스sf 흐름을 보면, 쥘 베르느 이전 최초의 소설은 17세기까지 거슬러 올라간다. 우주와 외계인에 대한 탐험이 나오고 그중 볼테르의 1752 단편들에서는 이미 미래 sf소설의 맹아를 엿볼 수 있다.

2차 대전 후엔, sf가 별로 나오지 않았고 미래에 대한 암울한 사변이 주를 이루었다. René Barjavel's Ravage (1943) 과 Pierre Boulle'의 <Planet of the Apes (1963)> 등이 대표작이다.

프랑스 sf의 감소 시기는 많은 영어권 특히 미국 sf의 황금기로 불리기도 한다. 이 시기 프랑스 sf는 주로 영어권 sf 의 영향을 받았다. 1950,60년대 미국소설 번역

물들이 나타났는데 <Le Rayon Fantastique>가 그것이고, 이것은 Francis Carsac, Philippe Curval,Daniel Drode,B.-R. Bruss (aka Roger Blondel, pseudonyms of René Bonnefoy 등의 많은 작가를 배출한다.

그러나 이 시기 프랑스에선, sf 문학보다는 sf영화가 훨씬 더 각광받은 시기다. 장뤽 고다르의 1965년 영화 Alphaville가 대표적인데 프랑스 정치의 풍자이자 스릴러극으로 프렌치 sf 뉴웨이브의 대표작이다.
미국sf와 달리, 1968년 이후 프랑스 sf에서 우주여행은 주요주제가 아니다. 양차 대전의 폐해를 직접 겪지 않은 신세대 작가들은 전후 프랑스의 변모에 더 영향을 받았다. 특히 1968 5월 혁명이후 프랑스 sf 작가들은 자신들의 작품에 정치,사회적 주제를 다루었다. Michel Jeury, Jean-Pierre Andrevon , Philippe Curval 들이 그들이다.

1970년대 프랑스sf는 만화가 약진한 시기였다. 미국잡지 hezvy metal을 본딴 프랑스 잡지 <Métal hurlant>이 큰 역할을 했는데, 오늘날 프렌치sf의 시발점이 되는 그래픽 노블(만화소설)이 탄생했다.
1980년대 프랑스 작가들은 sf를 실험 문학에 적합하다고 생각했다. 특히 80년해 후반, 문학의 포스트모더니즘과 사이버펑크의 발전은 프랑스 sf의 촉매역할을 했고. 이른바 ”로스트 제너레이션“으로 불리는 Claude Ecken, Michel Pagel, Jean-Marc Ligny or Roland C. Wagner등이 그들이다.

현재 프랑스 sf는 특히 그래픽 노블에 의해 잘 표현되고 인터넷의 영향으로 특히 잡지분야가 쇠퇴함에도 불구하고 프랑스sf는 여전히 명맥을 이어가고 있다. 1990년대 스페이스 오페라 (우주인이나 외계인을 소재로 한 라디오나 TV드라마)의 부활에도 불구하고 프랑스 내에서 영어권 SF 소설이나 영화의 영향력은 줄어들었는데 특히 ”로스트 제너레이션“이후부터 그 현상이 두드러진다. 반면 만화영화, 비디오 게임, 그 밖의 독일, 이탈리아풍 sf물은 늘었다. 특히 일본의 MANGA(폭력, 섹스관련 내용이 많은 일본 만화) 와 ANIME (공상과학적 일본 만화 영화)의 영향은 근래 그래픽 형태에 기폭제 역할을 했다.

캐나다 sf 첫 사례는 1896년 Tisab Ting, 혹은 The Electrical Kiss, 인데 이것은 ‘Dyjan Fergus’이라는 필명으로 발표된 뉴 브런스윅의 Ida May Ferguson 의 첫 소설이다. 20세기 후반 몬트리올을 배경으로 한‘전기천재 electrical genius‘를 내세운 것으로, 중국인 식자 하나가 자신의 탁월한 과학적 지식을 이용해 캐나다 여자를 아내로 맞는다는 이야기다. 이 책은 이른 시기, 여성작가라는 의의를 갖고, 1980년 마이크로피슈 microfiche형태로 재 발간되었다

1948년, 제 6차 sf 대회 (또는 torcon)가 토론토에서 열렸다. 이것은 비록 현지 sf 팬덤에 의해 열렸지만 주요 인사는 모두 미국인이었다.

다른 모든 캐나다 문화처럼 캐나다 sf는 소외된 원천 (isolated sources)들의 다양한 변주로부터 생겨났는데 A. E. van Vogt, John Buchan의 판타지, Phyllis Gotlieb의 시, 그외 작가들이 있다. 20세기 후반, 미국의 정치적 격변 덕에 Spider Robinson 과 Judith Merril가 캐나다로 들어온다.

1973년 sf대회가 다시 토론토에서 열렸는데 Judith and Garfield Reeves-Stevens.같은 신예들이 떠올랐다. 이것은 sf 장르에 다양한 활동과 흥미를 유발시켰다. Merril 은 'toronto hydra'라 불리는 유연한 작가들의 모임을 주최했는데 이것은 그녀가 뉴욕 sf 공동체로부터 가져온 것이다. 1977년 the Ottawa Science Fiction Society 가 창설되고 providing a Charles R. Saunders와 Charles de Lint 등에게 길을 터주는 역할을 하였다.

1980년대 초, Ontario Science Fiction Club이 창설됐고 반면 Bunch of Seven이 캐나다 최초의 sf 작가그룹으로 알려지게 된다. 이로서 S. M. Stirling , Tanya

Huff등의 성공적 작가를 배출하고 이것은 후에   Cecil Street   Irregulars로   발전하는데   그   속엔   Cory Doctorow. De Lint, Huff , Guy Gavriel Kay등이 속하고 그들은 캐나다 본연의 sf 무대와 판타지를 그려낸다. 그리고 William Gibson은 그의 소설 neuromancer를 통해 사이버펑크 (하이테크 sf소설)하위장르를 개척한다.

한편 퀘벡에서는 프랑스의 sf전통과 맞물린 작품들이 불어나 영어로 쓰여진다.

1990년대에 이르러 캐나다 sf 픽션은 안정기에 접어들고   세계적으로 인식된다. Margaret Atwood 같은 걸출한   작가를   배출하며.1992년   Canada's   National Association of Speculative Fiction Professionals가 창설된다. 캐나다 sf 주요작가로는   Margaret Atwood, John Clute, Charles de Lint, Cory Doctorow, James Alan Gardner, William Gibson, Ed Greenwood, Tanya Huff, H. L. Gold, Nalo Hopkinson, Guy Gavriel Kay, 등이 있다.

캐나다 sf 영화, sf tv물을 살펴 보면, 캐나다 방송 The Canadian Broadcasting Company은 1950년대부터 일찍 sf 물을 만들었다. 1990년대는 토론토와 벤쿠버가 이런 작품들의 중심지로 부상하는데 Forever Knight and RoboCop같은 쇼가 그런 예다. 이어서 The

X-Files은 캐나다 sf tv물의 위상을 한층 끌어올린다. 1990년대 후반엔 특기할만한 sf 와 판타지물이 캐나다에서 제작된다. 그리고 2000년대 초에는 세금 문제로 많은 sf 제작사들이 토론토에서 밴쿠버로 옮겨간다.

세계적으로 흥행한 캐나다 sf영화와 TV물들은 흔히 hollywood north라 불리는 밴쿠버와 토론토에서 제작되었다. 퀘벡은 프랑스에서 쇼를 제작했다. 캐나다 스튜디오는 또한 많은 만화영화, 특히 3D 작품들을 내놓았다.

이제 한국에도 확고한 팬덤을 형성하고 있는 미국작가 커트 보니것 (Kurt Vonnegut Jr. 1922-2007)의 예를 들기로 한다. 그는 독일계 미국인 가정에서 태어났다. 그는 좋지 않은 대학 성적과 2차 대전에 반대하는 평화주의를 옹호하는 글을 신문에 기고함으로서 징계를 받은 후 대학을 그만두고 군에 입대한다. 1944년 전쟁이 막바지에 이를 즈음 유럽으로 보내졌고, 전선에서 낙오해 드레스덴 포로수용소에서 지내게 된다. 1945년 미영 연합군의 폭격으로 13만 명의 드레스덴 시민들이 몰살당하는 비극적 사건 한가운데 서게 됐던 이때의 체험은 이후 그의 문학세계에 큰 영향을 미쳤다.

커트 보니것 〈카메라를 보세요〉문학동네. 2019

전쟁이 끝나고 귀국한 그는 학업을 포기하고 소방수, 영어교사, 자동차 영업사원 등의 일을 병행하며 글쓰기를 계속했고 〈새터데이 이브닝 포스트〉〈콜리어스〉〈아거시〉 같은 잡지에 단편소설을 정기적으로 기고했다. 1952년 『자동 피아노』를 출간하며 등단한 그는 『고양이 요람』(1963) 『제5도살장』(1969) 등을 세상에 선보이며 미국 문학사에 한 획을 그은 반전反戰 작가로 거듭났다. 1997년 『타임퀘이크』를 마지막으로 소설가로서 은퇴를 선언했다. 2007년 맨해튼 자택 계단에서 굴러떨어져 머리를 크게 다쳐 몇주 후 사망했다.

그는 블랙유머의 대가 마크 트웨인의 계승자로 평가받으며, 리처드 브라우티건, 무라카미 하루키, 더글러스 애덤스 등 많은 작가들에게 지대한 영향을 미쳤다. 그 밖의 대표작으로 『마더 나이트』 『나라 없는 사람』 『세상이 잠든 동안』 『그래, 이 맛에 사는 거지』 『아마겟돈을 회상하며』 등이 있다.

그중 <카메라를 보세요 look at the birdie>는 보니것의 미발표 초기 단편 소설집으로, 그의 시그니처인 SF 작품들 위주로 선별돼 있다. 비현실적 배경과 설정 속에서 보니것식 현실비판은 더욱 빛을 발하고, 특유의 간결하면서도 직접적인 문체와 재기발랄하면서도 오 헨리를 연상시키는 반전 결말이 돋보인다.

<비밀돌이>는 외로운 사람에게 대화와 조언을 제공하는 마법 같은 기계에 대한 이야기다. <작고 착한 사람들>은 페이퍼나이프 모양 우주선을 타고 지구를 방문한 소인국 외계인 한 무리가 겪은 일들을 다룬다. 「에드 루비 키 클럽」에는 사람의 몸속에 주입하면 반드시 진실만을 말하게 되는 "진실 혈청"이 등장한다. 「거울의 방」에서는 그 당시 가장 트렌디한 정신과학의 한 분야였던 '최면 치료'를 마법적인 분위기로 풀어냈다.

보니것에 의하면 "과학은 실제로 작동하는 마법이다." 등장인물들은 기존에 없던 첨단 과학기술을 통해 새로운 세계를 만나 그동안 보지 못하던 것을 보고, 듣지 못하던 것을 듣고, 느끼지 못하던 것을 느끼고, 말하지 못하던 것을 말하게 된다. 그 과정에는 분명 과학이 작동하지만 등장 인물 내면의 흐름과 결말은 마법적이고 극적이며 휴머니즘과 유머가 풍긴다.

아직까지도 sf 문학의 고전으로 평가받는 셸리의 <프랑켄슈타인>외에 순수문학가들도 다수의 sf물을 쓰곤 했다.
sf는 고전적 문학과 비교했을 때 상대적으로 명확하고 직설적인 문장을 구사한다. 판타지 작가 줄리엣 E. 매케나는 '…불신을 접고 비현실을 받아들이게 하려면 이 생소한 세계가 정말 진짜라고 설득해야만 한다'고 말한다.

요약하면, 20세기 전반 sf물이 빠르게 발전했고 그것은 과학에 대한 관심과 빠른 기술발전, 발명에 기인한다. sf는 과학, 기술의 진보를 예고했다. 일부 작품들은 새로운 발명과 진보가 삶과 사회를 개선시킬 것이라 예견했으나 <Brave New World>의 올더스 헉슬리는 부정적 견해를 나타내기도 했다.

2001년 한 설문 결과에 따르면 sf 독자들은 그렇지 않은 독자와 과학에 대한 다른 견해를 보였고 그들은 우주 계획과 외계문명과의 접촉을 지지하는 것으로 나타났다. Carl Sagan에 의하면 "많은 과학자들이 태양계 탐험에 깊게 연관돼있고 나역시 sf 픽션을 통해 그렇게 하고 있다"고 술회하고 있다.

Brian Aldiss는 sf 픽션을 "cultural wallpaper."라 묘사했다. 이런 증례들은 sf를 문화적 안목을 옹호하고 발전시키는 도구로 사용하고 또한 교육자들은 정규학과들을 '자연과학'에 국한시키지 않는 결과를 가져왔다. 그결과 sf는 진실로 세계문학의 형태를 띄게 되었고 비주얼 미디어, 인터렉티브 미디어 그리고 21세기에 발명될 뉴미디어로의 길을 터주었고 향후 과학과 인문학의 크로스오버 현상은 더욱 두드러질 것이라고 생각되고 있다.

이처럼 과학과 기술의 발전은 인류의 앞날을 다양하게 채색하는 동시에 그것들로부터 소외당하는 인간 내면의 또다른 어두운 심연을 그림으로서 인류와 문명의 이율배반적 디스토피아를 예견케 한다 할수 있다.

https://ko.wikipedia.org/wiki/SF_(%EC%9E%A5%EB%A5%B4)
https://en.wikipedia.org/wiki/Science_fiction
https://blog.naver.com/hkh5906/222278906316

<낭만주의는 페시미즘이다>

낭만이란 뭘까? 일상의 권태와 피로에 찌들어 잠시 일탈해보는 심리나 행위는 아닐까? 그만큼 삶이 척박하다는 증거도 되리라. 그래서 어쩌면 낭만의 뿌리는 짙은 페시미즘에 뿌리박고 있는지도 모른다.

사춘기 시절, 한번쯤은 읽거나 외워봤을 워즈워드의 시 한 구절이 낭만주의를 간략하게 소개하는 역할을 한다고도 할 수 있다.

"...초원의 빛
꽃의 영광으로 채워졌던
그 시간이 다시 올 수 없다 하더라도..."

인간이 규제와 억압을 견디는 데는 한계가 있다. 이렇듯 낭만주의도 그 전의 계몽주의 ,신고전주의에 저항하면서 일어난 사조라 할 수 있다. 질서 냉정함 조화 이성, 이런 것들에 반해 자유로움, 상상력, 비합리성, 개인 등을 중시한다.

시기적으로는 대략 18세기 말부터 19세기 중엽까지 주로 서구권의 문학, 미술, 음악, 건축, 비평등에서 나타났다.

로맨티시즘(Romanticism)이라는 단어는 비현실적인, 지나치게 환상적이라는 어원을 가지고 있으며 이성과 합리, 절대적인 것에 반하는 말이다.

낭만주의의 첫 주자는 계몽주의 시대에 독일의 루소라고 불리던 헤르더를 꼽는 견해가 있는데, 헤르더는 감정과 감성, 민족,역사를 강조하였으며, 그의 저서 "인류 역사의 철학적 고찰"은 후에 러셀과 헤겔로 이어지는 중요한 역할을 한다. 느낌과 감정을 강조하였으며, 계몽주의자들이 설파했던 이성에 대해 강한 회의를 품었지만, 그렇다고 그들이 결코 이성이라는 것을 완전히 무시한 건 아니다.

그들은 과거 절대적이고 보편적인 의미로 파악되었던 이성을 역사적 흐름에 따라 변화하는 것으로 수정하고자 했다. 또한 이 낭만주의는 개성을 강조하고, 사회를 과거와 달리 하나의 "유기체"로 보았다. 탄생과 성장, 쇠퇴와 소멸을 겪는 것을 사회의 한 특징이라 보았고, 이것은 후에 《문명 형태학》(아놀드 토인비)을 형성하는 데 큰 영향을 주었다

낭만주의의 직접적 배경을 보면, 주로 19세기 중엽을 시발점으로 하고 산업혁명에 의한 변화에 몰입하기 보다는 중세나 이국적인 것에서 사상이나 예술, 문학의

근원을 찾으려고 하였다.

즉, 사회의 분열과 이기주의를 경계하고 중세에서 절대적인 힘을 갖고 있던 공동체를 다시 일으키고 싶다는 소망의 발현이라 하겠다. 그러나 이런 논리는 개인을 절대화하는 것에 의해 현실적으로는 니힐리즘으로 빠지기도 했다.

문학에서의 낭만주의를 살펴보면, 계몽주의 이성에 의한 정치체제의 변화를 기대했지만 혁명을 통해 드러난 인간의 부조리하고 나약함에 절망, 그간의 이성에 기대온 일체의 사상, 감성에 회의를 품게 된다. 이렇게 정신의 폐허 위에 자신의 심성(心性)에 맞는 문화를 이룩하려고 한 것이 낭만주의 정신의 본질이며, 그 결과, 자아에 대한 확인과 그 내부에로의 침잠(沈潛)을 특징으로 한다.

영국에서의 낭만주의를 보면, 워즈워드와 콜리지를 대표작가로 들 수 있다. 워즈워드가 <서정민요집> 제 2판 (1800)에 붙인 서문이 영국 낭만주의의 시발점이 되는데, 시를 '강렬한 감정의 자연스러운 충일(the spontaneous overflow of powerful feelings)'로 정의하였다.

워즈워드와 콜리지 등은 프랑스 혁명 이후 보수화되었

지만, 나폴레옹 전쟁 이후 바이런, 셸리, 키츠 등은 영국을 떠나 스위스, 이탈리아 등으로 이동하여 이상주의를 지켜나갔다. 이들은 산업혁명과 중상주의에 대한 반동으로 산업혁명의 침투와 때를 같이하여 활동을 펼쳤지만, 곧 산업혁명의 실용적인 사상에 휩쓸리게 되어 바이런이 사망한 1820년 이후 영국의 낭만주의는 급속히 쇠퇴하게 된다.

프랑스의 경우 18세기 말부터 19세기 정치적 격변기를 맞는데, 이시기 정치, 사회적 변화는 프랑스 뿐만 아니라 전 유럽에 걸쳐 커다란 반향을 일으켰으며, 나아가서 유럽의 새로운 정치적 판도와 사회 ,문화적 가치체계의 변모를 가져왔다. 나폴레옹 보나파르트, 프랑스 7월혁명 등이 그 예고, 문학은 디드로, 볼테르, 위고, 루소, 샤토브리앙 등이 이 시기에 활약했다.

샤토브리앙은 작가이자 정치가였고 무신론적인 성향이 강했으나 어머니와 누이가 옥중에서 죽고 난 후 기독교에 복귀해 로마 가톨릭 교회의 왕당적 전통주의자가 되었다. 화려하고 섬세한 정열을 가진 문체, 서정적인 분위기의 작품으로 프랑스 낭만주의 문학의 선구자가 되었다. 그는 1817년 이후 《무덤 너머의 회상》을 30여 년에 걸쳐 집필했다. 1848년 80세의 나이로 사망하기까지 루이 16세 치하, 프랑스 대혁명, 나폴레옹 치하,

왕정복고 등의 극심한 정치적·사회적 변화 속에서 정치가로, 작가로 파란만장한 인생을 살았다.

그의 <무덤너머의 회상>은 자서전 형식이며 그가 살았던 프랑스 근대사의 격동기에 일어났던 사회의 변천과 개인의 체험이 흥미롭게 기록돼있다.

프랑스와 르네 샤토브리앙(1768-1848)

독일의 경우, 영국이나 프랑스에 비해 낭만주의가 늦게 발아했다. 처음엔 프랑스 대혁명을 환영했지만 점차 자본주의의 모순이 심해져 감에 따라서 시민사회를 부정하고, 자유주의나 합리주의에 반대해서 중세사회를 이상으로 하는 사조가 나타났다. 그 대표자로 헤겔을

들 수 있다. 시민 사회에서는 분열과 빈곤 등 비참한 상태가 나타나 도덕적 파괴를 벗어날 수 없다고 했다. 그래서 개인을 초월하는 따뜻한 인간 감정에서 최고의 도덕과 정신적 자유를 찾아내려고 했다. 슈타인도 헤겔의 영향을 받아서 시민사회를 경제적 측면에서 주로 비판했다. 이 생각은 독일 전통 사상이 되어 20세기에까지 계승된다 이같이 딱히 자유는 아니더라도 따뜻한 인간 감정에 연결된 중세에의 복귀를 이상으로 하는 것이 독일의 낭만주의라 할 수 있다.

대표문학가로는 호프만, 노발리스등이 있다. 호프만은 작가이자 음악가였고 그의 소설은 공상적, 마법적, 그로테스크한 것이 많아서 포, 카프카등에 많은 영향을 끼쳤다. 더 나아가 히치콕 같은 영화감독에도 영향을 주었는데, 대표작으로는 <모래사나이>를 들 수 있다. 몽상적 분위기에 환상이 현실이 되는 삶을 추구했으며 낙관적이고 진취적 계몽주의라는 프리즘으로는 드러낼 수 없는 인간 내면의 어두운 면, 쉽게 간과되는 심리를 예리하게 그려낸 단편이다. 그의 작품은 현실과 환상 사이에서 갈등하는 '예술가 소설'로 분류되곤 한다.

노발리스는 시인이자 철학자였고 초기 낭만주의를 대표하는 시들을 썼다. 병약하고 사랑을 숭배하고 죽음을 찬양하는 섬세한 청년의 이미지를 창조해냈고 문학 외 다양한 학문에 통달해서 학문과 문학의 융합을 시도한 선구적 인물로 평가받는다. 대표작으로 <밤의 찬가>가 있는데 죽음에 대한 낭만주의적 해석인 동시에 고대 그리스에서 현대에 이르는 정신의 역사를 다룬 역사철학적 결과물로 평가받는다. 깊고 암울한 환상, 신비한 죽음에의 동경이 잘 드러나 예술과 종교가 융합된 형태를 보여준다.

e.t.a.호프만 (1776-1822)

미국 낭만주의는 독립을 쟁취한 뒤 미국식 민주주의에 대한 이상, 미국민 특유의 개척정신, 미국의 자연과 과거, 복음주의 종교 등 주로 미국의 특수한 역사적 상황과 사정에 영향을 받아 자연발생적으로 생겨났다. 미국 낭만주의 시대는 주로 19세기 초에서 남북전쟁 (1861-1865)이 끝날 무렵까지를 일컫는다. 그 중 어빙, 브라이언트, 쿠퍼, 그리고 포, 호손이 대표적인 인물이었다.

미국 최초의 전문 직업작가로서 활동한 어빙은 주로 유머러스하고 풍자적인 작품을 썼다. 뉴잉글랜드의 대표적 시인으로 유명했던 브라이언트는 초기에 로맨틱하고 자연에서 영감을 받은 시를 썼는데 이것은 유럽의 문학과는 다른 것이었다. 그리고 애드가 알란 포가 있는데, 그는 《붉은 죽음의 가면》(The Masque of the Red Death), 《함정과 진자》(The Pit and the Pendulum), 《어셔가의 몰락》(The Fall of the House of Usher), 《모르그가의 살인 사건》(The Murders in the Rue Morgue) 등과 같은 작품으로 세계적 작가로 발돋움했다. 숨겨진 인간 심리를 파헤치고 미스터리와 판타지 소설의 경계까지 진입한 앞서간 문학이었다. 그리고 호손은 1850년대 초에 주요 작품들을 발표했는데 인간 심연의 어두운 힘을 탐색하였고 다양한 심리적 죄의 양상과 갈등의 이면들을 그려냈다. 그의 대표작 《주홍글씨》(1850)는 미국의 역사적 무의식의 이면을 파헤치고 있으며 개개인들이 미국 사회에서 겪는 도덕적, 정신적 갈등과 깊이를 깊이있게 파헤쳤다.

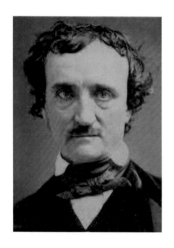

에드가 알란 포(1809-1949)

끝으로 한국의 낭만주의는 1920년대초에 쓰여진 시에
서부터 시작한다. 개인의 자유와 창조적 가능성에 관심
을 기울이며 전통적 도덕과 인습에 거세게 반발하는
동시에, 현실에 대한 극단적인 부정과 현실에서 도피하
려는 절망적 색채가 짙게 드러났다. 이렇게 본다면 낭
만주의가 페시미즘으로 연결된 가장 좋은 예는 바로
한국이라 할 수 있고 그것은 물론 일제 강점기라는
특수한 역사적 상황이 큰 몫을 했다. 그래서 1920년대
낭만주의를 병적·감상적 낭만주의라고 부르기도 한다.
이러한 경향은 동인지 〈백조〉를 중심으로 나타났는데,

홍사용·박종화·나도향·이상화 등이 이에 속했다.

박영희의 〈환영(幻影)의 황금탑〉(백조, 1922.1)·〈월광(月光)으로 짠 병실〉(백조, 1923.9), 박종화의 〈사(死)의 예찬〉(백조, 1923.9), 이상화의 〈나의 침실로〉(백조, 1923.9) 등은 현실의 모든 번민과 집착의 저편에 서서 죽음에의 초대를 노래했다. 홍사용의 〈나는 왕이로소이다〉(백조, 1923.9)에서는 세상을 공포와 비애만이 가득찬 곳으로 보았다.

즉, 1920년대 한국의 낭만주의 문학은 낭만적 정열이 아닌 낭만적 허무로 귀결되며 그것은 감상에 탐닉한다는 점을 특징으로 한다. 그렇게 1920년대 초, 감상 및 퇴폐적 성격을 띠었던 한국 낭만주의 문학은 사실주의 또는 프로 문학에 주도권을 넘겨주는 결과를 가져온다.

이상화 (1901-1943)

"나는 온몸에 햇살을 받고
푸른 하늘 푸른 들이 맞붙은 곳으로
가르마 같은 논길을 따라 꿈속을 가듯 걸어만 간다."
이상화 <빼앗긴 들에도 봄은 오는가>중.

이상이 한국과 서구의 낭만주의 문학의 대략적인 개념
이며 낭만주의 미술을 보면, 문학과 비슷하게 이성, 냉
정함에서 벗어나 우아하고 로맨틱한 꿈을 캔버스에 담
았다 . 프뤼동, 들라크르와 등이 대표적인 작가로, 후자

에 의해 서구의 낭만주의는 미술은 비약적인 발전을 이룬다. 그는 자유분방하고 표현력이 풍부한 붓놀림, 화려하고 감각적인 색채의 구사, 역동적인 구도, 북아 프리카 아랍인의 생활에서 프랑스 혁명에 이르기까지 이국적이고 대담한 주제를 다룬 것으로 유명하다. 그 외 영국의 터너, 컨스터블의 풍경화가 거론될 수 있고 그들은 웅장하고 역동적인 자연을 묘사하기 위해 빛, 공기, 색채의 순간적이고 극적인 효과를 강조했다. 낭 만주의 음악은 베토벤, 슈베르트 등을 들 수 있을 것이 다.

https://100.daum.net/encyclopedia/view/b03n3547b

https://ko.wikipedia.org/wiki/%EB%82%AD%EB%A7%8C%EC%A3%BC%EC%9D%98

https://ko.wikipedia.org/wiki/%EB%8F%85%EC%9D%BC_%EB%82%AD%EB%A7%8C%EC%A3%BC%EC%9D%98

https://ko.wikipedia.org/wiki/%EB%AF%B8%EA%B5%AD_%EB%AC%B8%ED%95%99

https://www.thoughtco.com/romanticism-definition-4777449

https://en.wikipedia.org/wiki/Romanticism

<상실의 미학, 로스트 제너레이션>

문학에 조금만 취미가 있다면 <위대한 개츠비>의 작가를 모르는 이는 없으리라. 그리고그가 "상실의 세대 lost generation"에 속하는 작가였음도 알 것이다.

로스트제너레이션은 비록 한 유파로 묶일 순 없지만 대체로 1차 대전후 미국 사회에 팽배한 물질만능주의와 그것이 가져온 획일적 규범에 반발, 기존체제 관습에 대한 거부, 늘어가는 실업에 두려움을 느낀 일군의 젊은 지식인, 예술가들을 통칭할 때 흔히 쓰인다. 그들은 유럽 (주로 파리)으로 건너가 향략적이면서 공허한 나날을 보낸다.

"lost generation"이란 용어는 어니스트 헤밍웨이의 <the sun also rises>의 서문에 "you are all a lost generation"이라는 거트루드 스타인의 말을 인용한 데서 유명해졌다.

1차 대전후 미국은 상당한 물질적 풍요에 이르고 특히 1920년대 경제적 번영은 전쟁의 결과면서 동시에 괄목할 기술발전에 기인한다. 그 대표적 예로 자동차를 들수 있다. 자동차는 당시 미국의 경제적 향상을 의미하고 개인의 신분을 나타내는 상징이 되었다.

이런 물질적 번영은 개인들에게 획일화, 표준화를 강요하는 상황을 불러왔고 그 대표적 예로 금주운동, KKK, 기독교 근본주의 운동 등을 들수 있다.

이 중에서 금주운동은 이민 배척 운동과 밀접한 관련을 맺고 있고, 늘어나는 이민자들로 인해 당시 미국은 정착 초기의 청교도주의를 유지하기가 불가능해진다. 그에 대한 반발로 종교적 획일화, 근본주의가 기승을 부리게 되었다.

일례로 드라이저는 <한 미국인의 비극>에서 미국 사회 모순에 희생당하는 개인의 심리를 그렸다. 그리고 이 시기에는 프로이트의 영향으로 이성과 의식이 아닌 감성과 무의식이 문학 예술 분야에 확산되었다. 이런 미국의 1920년대는 이른바 '재즈시대 Jazz age'라 불리기도 한다.

로스트제너레이션은 이처럼 물질만능, 획일화돼가는 미국에 대한 반발로 유럽, 주로 파리에 온 일군의 지식인, 예술인, 혹은 1차 대전이 끝나고도 고국인 미국에 돌아가지 않고 유럽에 머문 지식인들을 가리키고 거투르드 스타인은 그들을 '한곳에 머물지 못하고 방황하는 길잃은 세대'라 명명하였다.

이들의 가치관은 더 이상 전후 세대와 연결되지 못하고 특히 하딩 대통령의 '정상복귀정책'에 절망함으로서 정신적으로 황폐한 미국에 대해 소외를 느꼈다는 공통점을 보인다.

이 시기의 대표 작가로는 헤밍웨이, F. 스콧 피츠제럴드, 존 더스 패서스, e.e. 커밍스, 아치볼드 매클리시, 하트 크레인 등이 있고 1920년대에 파리를 문학 활동의 중심지로 삼았던 그 외 많은 작가들이 있다. 이 중 상당수는 30년대에 새로운 흐름으로 전향해 어찌보면 '로제'의 기간은 짧았다고도 할 수 있지만 미국 문학사 상 나아가 세계문학사상 걸출한 작가를 가장 많이 배출한 시기이기도 하다.

f.s.핏제럴드(1896-1940)

f.s 핏제럴드는   명문 프린스턴에 입학하지만 학업은
뒷전, 문학과 연극에 몰두했다. 데뷔작 <낙원의 이쪽>
이 큰 성공을 거두자, 그동안 불투명했던 젤다 세이어
와 결혼에 이른다. 미 동부와 유럽을 오가며 호화로운
생활을 하며 많은 작품을 내놓았고 특히 <위대한 개츠
비>를 기점으로 T.s엘리어트, 거트루드 스타인 등에게
서 극찬을 받았지만   개인사는 추락하기 시작해 ,알콜
의존증과 빚에 시달렸다. 아내 젤다가 정신 병원 화재
로 사망하고 그 후 핏제럴드는 헐리웃에서 시나리오
작업을 하던 중 심장마비로 사망한다.

그의 대표작 <위대한 개츠비>는 세계문학사에 길이 남을 명작으로 회자되곤 한다. 개츠비가 그려낸 허망한 아메리칸 드림과 인간에 대한 헛된 희망과 환멸은 결국 죽음으로 끝을 맺음으로서 아메리칸 드림 속에 내재한 허무주의를 짙게 깔고 있다. 물질에 대한 욕망은 궁극적으로 완결될 수 없는 부분이며 완전한 허상이기에 그것을 좇는 주체는 늘 허기와 광기에 시달릴 수밖에 없고 결국엔 파멸에 이르는 것이다.

핏제럴드는 재즈시대의 일시적 행복감에 대해 에세이와 소설에서 꾸준히 이야기했고 그의 눈에 당대는 성적으로 문란한 반면 미국인들은 점점 사회적 규범과 자기만족에 옵세스 되어가는 모순적 존재로 비춰졌다.

j.d 패소스(1896-1970)

j.d 패소스는 포르투갈계 변호사의 아들로 태어났다. 하버드를 졸업하고 1차 대전에 참전, 소르본에서 공부하였다. 1920년 발표한 데뷔작 <한남자의 성인식>과 이듬해 <세명의 군인>은 전쟁 체험을 바탕으로 한 리얼리즘 소설의 정수라는 찬사를 받았다. 그 후 여러나라를 돌며 핏제럴드, 헤밍웨이 등과 교류, 이른바 '로제'의 대표작가중 하나가 된다.
자본주의 체제의 모순에 환멸을 느끼던 더스패소스는, 사코와 반제티 사건을 계기로 정부를 비판하는 글을 기고하고 공산주의를 공부하기 위해 소련을 여행하기도 했다. 그러나 표현의 자유를 제한하는 스탈린 정부의 방침과 친구의 의문사 등으로 인해 사상의 변화를 겪고, 정치적 입장 차로 헤밍웨이와 결별한다. 2차 대전이 발발하자 종군기자로 활약했으며, 종전 후에는 자유주의 저널 출간에 힘썼다.

미국인의 삶에 대한 파노라마적 서사시라고 할 수 있는 『U. S. A. 삼부작』(1938)에서 실험적 기교를 폭넓게 동원해 20세기 초 미국의 이야기를 완성했으며, 1925년 발표한 『맨해튼 트랜스퍼』는 새로운 실험적 기법을 통해 거대 도시 뉴욕에서 보이는 수많은 삶의 편린을 포착한 작품으로, '재즈 시대'의 뉴욕에서, 상류층부터 극빈층까지 스무명이 넘는 등장 인물의 이야기가 개별적인 몽타주 형식으로 펼쳐진다. 장면과 시점을 자유로이 전환하고 허구 속에 실제 뉴스와 대중 음악 가사를 삽입하는 등 영화 같은 서술과 의식의 흐름 기법을 사용하여, 뉴욕의 다채로운 스펙트럼을 그려낸 모더니즘의 걸작으로 평가받는다.

작가면서 동시에 화가이기도 한 그는 많은 사조의 영향을 받았는데 표현주의 인상주의 큐비즘 등이 그것이다.

그의 미술은 대부분 스페인 멕시코 북미 그리고 페르낭 레제, 헤밍웨이 등을 만났던 파리의 몽파르나스 까페등을 반추한다. 그런가 하면 SF소설에 영향을 끼치기도 했는데 신문 조각, 방송 뉴스 등 다양한 미디어를 활용하였다.

e.e 커밍스(1894-1962)

e.e 커밍스는 하버드대학교 정치학 교수였던 아버지에게서 태어났고 부친은 기독교에서 파생된 유니테리언 교단의 목사이기도 했으며, 아버지의 신앙은 커밍스의 작품에서 초월적인 부분에 영향을 주었다. 커밍스는 하버드 대학교를 졸업하고 1차 대전에 자원 입대, 스파이 혐의로 프랑스 수용소에 갇혔던 경험을 토대로 소설 <거대한 방(The Enormous Room)>을 집필한다. 참전하면서 접했던 유럽 아방가르드에 큰 영향을 받았

고 이후에도 자주 파리에 머물곤 했다. 그는 로버트 프로스트에 이어 가장 많이 읽힌 미국 시인으로 평가받고 있다. <Tulips and Chimneys>에선 획기적 문법 사용과 구문사용이 두드러진다.

<XLI Poems< 1925)로 그는 완전한 아방가르드 시인으로 평가받는다. 그리고 그는 영어 대문자를 기피한 시인으로도 유명하다. 그만큼 권위나 기성체제에 강하게 반발했다는 뜻이리라.

전 생애를 여러 곳을 여행하며 피카소와도 교류했고 1931엔 소련에 갔다. 이 시기에 또한 북아프리카와 멕시코도 여행한다. 그리고 교통사고로 부친을 잃은 (1926)기억은 그의 시에 지대한 영향을 끼친다.

"나는 당신의 마음을 지니고 다닙니다
(내 마음속에 지니고 다닙니다)
한번도 그러하지 아니 할 때가 없습니다
(내가 가는 곳은 어디든, 그대여, 당신도 갑니다.
내 홀로 무엇을 하든 그건 당신이 하는 일입니다, 그대여)

나는 운명이 두렵지 않습니다
(님이여, 당신이 내 운명이기에)
나는 세계가 필요하지 않습니다
(진정한 이여, 아름다운 당신이 내 세계이기에)

달이 늘 의미해 왔던 것이 바로 당신이요
해가 늘 부르게 될 노래가 바로 당신입니다

여기에 아무도 모르는 가장 깊은 비밀이 있고
(여기에 생명이라는 나무의 뿌리의 뿌리와 싹의 싹과

하늘의 하늘이 있고 그것은 영혼이 희망하고
마음이 숨을 수 있는 것보다 더 크게 자랍니다)
그리고 이것이 별들을 서로 떨어져 있게 하는 경이입
니다
나는 당신의 마음을 지니고 다닙니다.
(내 마음속에 지니고 다닙니다)

I carry your heart with me / e.e. cummings"

[출처] 나는 당신의 마음을 지니고 다닙니다 / e.e.
커밍스|작성자 청영고고

'로제'와 헷갈리기 쉬운 유파로 비트 제너레이션beat
generation 이 있다.
2차 세계대전 후 1950년대 중반 샌프란시스코와 뉴욕
을 중심으로 대두된 보헤미안적인 문학가, 예술가들을

지칭한다. 현대 산업사회로부터 이탈, 빈곤을 감수하며 무정부주의적 개인주의 색채가 짙으며, 재즈·술·마약·동양적인 선(禪) 등에 도취, '지복'의 경지에 도달하려고 하였다.

1956년 앨런 긴즈버그(Allen Ginsberg)의 장시 《울부짖음 Howl》, 1957년 잭 케루악(Jack Kerouac)의 장편소설 《길 위에서》가 발표되고 나서 이 용어가 처음 사용되었다. 이들은 개인적 차원에서 반체제적 태도를 고집하고, 극한적인 부정에 입각하여 새로운 정신적 계시를 체득하려고 하였다. 미국 로맨티시즘의 한 변형으로도 이해되며 1960년대에 이르러 점차 쇠퇴하였다.

https://en.wikipedia.org/wiki/E._E._Cummings
https://en.wikipedia.org/wiki/Lost_Generation
https://ko.wikipedia.org/wiki/%EC%9E%83%EC%96%B4
%EB%B2%84%EB%A6%B0_%EC%84%B8%EB%8C%80
https://en.wikipedia.org/wiki/F._Scott_Fitzgerald
https://en.wikipedia.org/wiki/John_Dos_Passos

나는 당신의 마음을 지니고 다닙니다 / e.e.. : 네이버블로그
(naver.com)

<키치처럼 말하기, 행동하기>

"모든 예술에는 키치의 흔적이 담겨 있다"는 말이 있듯이 ,포스트모던 시대 키치현상은 이제 더 이상 특별한 것이 아니다. 모든 건 복제되고 원형과 복제를 구별할 수 없는 시대가 왔고 숭고하고 엘리트 적인 건 점차 역사 속으로 사라지고 그 대신 가볍고 경쾌하고 대중적이고 값 싼 것이 새롭게 부각되고 있다.

이제 미추의 개념도 달라지고 아무리 값비싸고 귀한 것도 내가 가질 수 없으면 평가 절하되는 세상이 왔다. 이런 변화에 큰 기여를 한 게 바로 디지털이 아닐까 싶다. 시공간을 초월해 수많은 싸면서도 매력적이고 그래서 심적 데미지가 크지 않은 걸 감상, 선택할 수 있게 해주었기 때문이다. 이런 맥락에서 포스트모던은 곧 키치라 해도 과언이 아니리라.

키치(kitsch)는 독일어로 저속, 또는 질이 낮은, 이라는 뜻으로 자극적이면서 저속함, 산만한, 그러면서 싸구려로 보이는 일상품에서 의상, 건축까지를 이르고 전근대적 감각의 추구와 세련미를 배제하는 것을 일련의 특징으로 한다. 이런 현상은 주로 고도 성장기를 맞은 나

라에서 갑자기 누리게 된 물질적 풍요에 대한 권태감
에서 많이 일어난다.

1910년대에 이르러 국제적인 용어가 된 이 독일어가
지금과 같은 의미로 사용되기 시작한 것은 1860년 무
렵이었다. 어원은 분분한데 그건 차치하고라도 "윤리적
으로 부정함", "진품이 아님"이라는 의미가 내포되어
있음은 공통이다.
이런 가품들의 생명력은 왕성해서 문학, 가구, 장식품,
음악 등 수많은 분야에까지 침투했고 특히 색채에서
두드러졌다. 키치가 선호하는 색채 테크닉은 '순수하게
보색 관계에 놓여 있는 색들의 대비, 흰색의 가감에 의
한 색조의 변화, 특히 빨강색에서 보라색, 자주색, 연분
홍색으로 이어지는 색조, 또는 무지개 스펙트럼 등'이
라 할 수 있다.

그리고 키치는 원자재 그대로를 사용하는 경우가 거의
없는데 일례로 나무에 대리석 질감을 낸다든가, 플라스
틱 위에 겉표지를 붙인다든가, 아연은 청동처럼 청동은
금처럼 세공하는 것이다. 즉, 변장과 눈속임이 묵시적
으로 이루어지는 미학 분야라 할 수 있다.
이런 키치에 저항하는 것이 있긴 하다. 기존의 사물 또
는 기술 생산품을 있는 그대로 받아들일 것을 주장하

는 기능주의가 그것이고 그것은 즉 '안티 키치'인 셈이다. 기능주의는 사용가치가 없는 것, 불필요한 사물들에 대한 반동으로 생겨나 의식적으로 장식을 배제하고자 하는 금욕주의적 엄격성을 기조로 한다.

이처럼 키치에 대한 비판도 무수히 많다. 테오도어 아도르노(Theodor W. Adorno, 1903~1969)는 키치를 "예술과 혼합된 유해 물질"이라고 했고, 아르놀트 하우저(Arnold Hauser, 1892~1978)는 "키치가 내세우는 요구들이 아무리 고상한 것일 수 있다고 할지라도 키치는 사이비 예술인 것이며, 달콤하고 싸구려 형식을 갖춘 예술이고, 위조되고 기만적인 현실 묘사에 불과한 것"이라고 말한다.

움베르토 에코(Umberto Eco)는 "예술의 대용품인 키치는 어렵게 이해하려고 애쓰기보다는 별로 힘들이지 않고 미의 가치 체계를 즐길 수 있기를 바라는 게으른 청중에게나 이상적인 음식이다"라고 말했다.

그러나 디지털시대 키치 미학은 보다 긍정적 의미를 갖는데. 이미지와 무한한 합성, 변종이 가능한 디지털 문화 환경에서 키치는 상상한 모든 것이 현실화되는 가상 이미지의 최종 정착지가 되기 때문이다.

헤르만 브로흐(Hermann Broch, 1886~1951)는 키치에 대해 독설을 퍼부으면서도, 끊임없이 '최소한 한 방울'이라도 키치가 들어 있지 않은 예술 작품이 있을까 하는 의구심을 나타냈다.

브로흐는 급기야 '키치 인간'이라는 개념까지 생각해냈다.
키치 인간이란 실제 삶에서 대상의 본래적 가치 이외에 다른 덧붙여진 가치들을 소비하려는 존재를 가리킨다. 달리 말하자면, 키치가 아닌 작품들 또는 상황들조차 키치로 경험하려 하는 사람이다.
오창섭은 "키치적으로 말하고, 키치적으로 입고, 키치적으로 소비하는 키치맨들"로 kitsch era를 요약하고 있다. 즉 우리 자체가 키치화되었으므로 키치 개념에 대한 기존의 부정적 요소를 재고해야 한다고 주장하는 것이다. 급속한 고도의 경제성장 사회에 나타나는 권태가 그 바탕임을 감안한다면 한국 사회만큼 대표적인 사례도 없을 것이다.

이런 키치개념이 근래와서 새롭게 부각된 사건이 바로. NFT 예술이다. 희소성을 갖는 디지털 자산을 총칭하는 말이다. 하지만 전통박물관이나 갤러리에서 아직 nft는 환영받지 못하고 있다. 그러나 대중들은 디지털 감각과 예술에 열광하고 있고 그만큼 예술의 개념 자체가 바뀌고 있음을 나타낸다 할 수 있다.

그렇다면 이렇듯 질 낮은 작품이 고급예술인척하는 경우인 키치를 대중은 왜 반길까, 그 안에 혹시 저항의 의미는 담겨있지 않을까? 그래서 어느 예술가가 이렇게 말한 건 아닐까? "키치의 감성은 나를 부르주아 감수성의 해악으로부터 해방시켜 주었다."

즉, 키치는 엘리트만의 전유물로 여겨져 온 고급예술을 일반 대중이 쉽게 접근할 수 있게 대량으로 모방해 낸 안티테제라 할 수 있다.

장 보드리야르에 의하면 "키치가 존재하기 위해서는 그것에 대한 수요가 있어야 되는데, 이 수요는 사회적 지위 이동에 따라 결정된다. 사회적 이동이 없는 사회에서는 키치는 존재하지 않는다"고 말한 것도 바로 이런 맥락에서다.

그러나 고급스러운 기존 예술에 대한 반항, 저항적 의미에서 생겨난 키치를 그 나름의 순응적 맥락으로 보는것도 일견 타당하다 하겠다. 키치문화라는 한 장르 역시 근미래에 전통 장르에 속할 수 있기 때문일 것이다.

키치 미술

요약하면 키치 현상은 미학적으로 '보기 괴상한 것, 저속한 것과 같은 사물을 뜻하는 미적 가치'로 요약될 수 있고 세계 각지의 전통·현대 민예품, 인형, 가면, 유아 완구 등에 보인다. 예를 들면 동물과 인간의 결합이 키치를 나타내는 경우도 있다. 이것은 본래 "존재하지 않는 조합"이기 때문이다. 키치는 단순히 엽기적인 것만은 아니다. 현대 문화에서 키치는 패션과 영화, 광고 등에 걸쳐 하나의 주요한 속성으로 인정받고 있다. 이것은 기존 엘리트 문화와 감각, 예술에 저항하는 안티적 행위이자 인간 안의 진짜로 저열하고 싸구려적이

고 눈속임에 대한 이끌림과 맞물려 일어난 또 하나의
고백 미학은 아닐까?

https://en.wikipedia.org/wiki/Kitsch
https://news.v.daum.net/v/20220602030503556
https://100.daum.net/encyclopedia/view/117XX33900072
https://ko.wikipedia.org/wiki/%ED%82%A4%EC%B9%98
https://100.daum.net/encyclopedia/view/54XXX9800030

<자유를 위한 광기, 포스트모더니즘>

1960년대이래 중요한 문화의 흐름으로 자리 잡아 온 포스트모더니즘은 종래의 모더니즘이 근본적으로 과학과 합리성을 중시한 것에 반해 이질적 요소들의 혼성과 모방, 복제와 해체까지를 용인한 다분히 혁신적인 문화 운동이다. 원래 포스트모던이란 말 자체는 1870년부터 사용됐지만 1960년에 이르러서야 오늘날의 의미를 갖게 되었고, 수잔 손탁과 레슬리 피들러의 글에서 보여지는 '새로운 감수성'이 그 단초가 된다. 여기서 비로소 고급/대중문화의 경계가 허물어진다. 이후, 데리다, 푸코, 라깡, 제임슨, 리오타르와 보드리야르 등의 이론가들에 의해 포스트모더니즘은 다양하게 해석되고 변형되면서 오늘에 이르게 된다.

이것은 팝음악을 비롯한 대중문화는 물론,후기자본주의, 다국적 자본주의 문화에 대한 마르크스주의적 분석에까지 사용되고 있다. 이런 포스트모더니즘을 헵디지는 '상호텍스트성, 인식론에 있어 반목적론적 경향, 존재론적 형이상학에 대한 공격, 집단적 절망과 병적인 현상, 표피성의 증식, 물신주의, 이미지나 부호, 스타일에 대한 미화, 문화, 정치, 실존적 파편화, 탈중심화, 의미의 내파, 시간의 공간 대체성 '이라 정의한다.

그런가 하면 후이센은 1950,60년대의 영미의 팝아트에서 이런 기운을 감지해내고, 팝아트와 대중문화의 관계를 미국의 대항문화와 영국의 언더그라운드의 연결고리에서 찾으려 한다. 그래서 '넓은 의미에서의 팝은 포스트모던의 개념이 처음 발생한 배경'이 됐다고 말하면서 팝 음악과 미술의 다양한 만남을 그 예로 든다. 또한 그는 미국보다 훨씬 앞선 유럽의 아방가르드에서 그 기원을 찾기도 하면서, '반 베트남전, 흑인 민권 운동에 대한 지지, 고급모더니즘의 엘리트주의에 대한 거부, 페미니즘, 문화적 실험주의, 대안연극, 해프닝, 러브 인love-ins,일상예찬,사이키델릭 예술, acid-perspective'등 미국 대항문화의 여러 요소들을 포스트모던한 것으로 보기도 했다.

한편, 문학과 철학에서의 포스트모더니즘이란 소외된 인간상의 회복이라는 견해도 있다.
이와 같이, 이성과 감성, 혹은 지적 차원과 감성적 차원을 이원적 대립으로 규정하고 전자에 특권적 지위를 부여해온 전통 철학의 주지주의, 이성중심주의, 즉 로고스 주의에 대한 철저한 비판이 포스트모더니즘이다.
김욱동 역시 비슷한 맥락에서 포스트모더니즘을 정의하였는데, 그것은 상호텍스트성, 탈 장르화, 자아에 대한 회의, 텍스트와 독자의 역동적 관계, 추상적 체계성, 총체성 거부라고 하였다.

포스트모더니즘은 근대성과 단절하는 개념이며, 상대주의, 비이성주의, 허무주의를 근간으로 한다. 사회적 응집과 인과적 인식을 중요하게 여기던 모더니즘과는 달리 포스트모더니즘은 다중성, 다원성, 파편화, 비결정성을 특징으로 하고 후기구조주의의 영향 때문에 기표와 기의 사이에 의미가 고정돼있지 않다고 본다. 그리고 유럽의 아방가르드에서 그 기원을 찾을수 있는 일종의 '전복'현상이며 민중적, 탈 이데올로기적 문화 예술 사조로서, 미시정치, 타자들의 정치 등으로 요약되기도 한다.

주요이론가들로는,

후이센이나 헵디지 외에, 리오타르, 보드리야르 , 제임슨 등을 꼽을 수 있다.

우선 장 프랑소와 리오타르의 경우, 그는 포스트모더즘 현상을 보편적 대서사 몰락과 문화의 다양성으로 해석했다. 1979년 <포스트모던의 조건>을 내놓으면서 '차이성'과 다원성'이라는 용어를 보편화시켰다. 그는 아놀드식의 고급/대중문화의 이분법이 붕괴됐다고 하면서 '숭고'에 대해 언급한다. 그것은 이제 더 이상 자연 속에서 인간을 압도하는 크기나 힘을 가진 것이 아닌, 아방가르드 예술이 주는 묘한 효과나 인간의 합리적 인식의 한계를 넘어선 것을 체험할 때의 불편한 쾌감

같은 것이라고 정의했다. 그러면서 이런 숭고를 드러내는 방법 중 하나로 '침묵'을 꼽는다. 이것은 눈에 보이는 것의 묘사를 포기함으로써 역설적으로 이 세상엔 비가시적인 세계가 존재함을 암시한다고 했다. 이것이 미니멀리즘과 연결되면서, 그는 이것을 '숭고의 부정적 묘사'라 불렀다. 그리고 이러한 '숭고'는 사건성을 전제로 하며, 기대하지 않은 사건이 일어날 것 같아 두려워하면서도 기다리게 되는 그 모순되고 혼합된 감정의 가치를 전제로 한다고 했다. 하지만 이 숭고는 더 이상 무겁고 권위적인 것이 아닌 가벼운 것임을 강조하면서 예술은 더 이상 발신자가 주체가 아닌 수신자 지향의 존재가 되었음을 지적했다. 하지만 이런 혼합, 인용, 장식, 혼성모방 같은 예술 현상들이 결국엔 키치나 그로테스크로 흐를것이라는 비관적 견해를 보이기도 했다. 그리고 그동안 과학은 인류의 점진적 해방의 도구로 파악돼왔고 그런 과정에서 다른 서사들을 조직하고 가치를 부여하면서 고유의 가치를 인정받았지만 2차 대전 후, 그런 것이 감퇴하면서 '대서사에 대한 회의'가 일어났다고 했다. 그래서, 과학은 길을 잃었고 그 목표는 더 이상 진리가 아니라 실행성 performativity에 있을 뿐이라고 말했다. 교육도 이와 비슷한 현상을 보여서, 가르치는 것이 참인지 거짓인지가 중요한 게 아니고, 비판적 사고 그 자체만을 목표로 하게 되었는데 이것이 바로 포스트모던적 교수법이라 정의했다.

가장 대표적인 포스트모더니즘 이론가로 손꼽히는 장 보드리야르는 '스캔들'의 이면을 파헤침으로써 포스트 모던한것들에 대한 성찰과 비판을 동시에 하고 있다. 일례로, 워터게이트 사건을 말하면서 그런 일이 정치세계엔 만연하다는 것을 감추기 위해 '스캔들'로 축소해 보도한 것이라 지적했고 그것을 '재생의 목적을 위한 스캔들의 시뮬라시옹'이라 명명했다. 이런 맥락에서 그는, 확실성의 붕괴나 '진리'라는 대서사의 해체를 언급한 리오타르와 유사하다. 신, 자연, 과학, 노동계급 등은 이제 더 이상 중요한 존재가 아니고 그 결과, 실재가 과잉현실 속에 붕괴되는 현상이 일어났다고 보았다. 그래서, 근원에 대한 신화나 실재에 대한 기호가 늘어나고, 실재와 그에 대한 지시물들이 광적으로 쏟아져나오게 된 것이라 지적한다.

그는 또한 맥루언의 영향을 받았는데 맥루언이 '미디어는 메시지'라고 말한 것을 확장해서 '미디어는 인간의 확장'이라 말한다. 다시말해, 오늘날에는 미디어가 만들어내는 '하이퍼 리얼리티'가 실재보다 더 실재적인 것이 돼버려서, 인간은 미디어가 만들어내는 시나리오의 배우처럼 늘 어딘가에 있을 것만 같은 '카메라 앞에서 연기하듯' 그렇게 살아간다고 했다. 또한 이것은 서구 사회가 종전의 상품생산사회에서 정보사회로 옮겨가는 징후이며 더 이상 경제나 생산의 영역, 이념이나 문화의 영역 구별이 불가능하게 된 사회가 되었음을 말하고 이것이 곧 포스트모던 사회라고 했다. 이런 생각을 그는 <기호의 정치경제학 비판>에서 '연금술적 사회에서 기호적 사회로의 변화'라고 표현했다.

장 보드리야르 (1929-2007)

그의 시뮬라시옹 이론을 좀더 살펴보면, 원본 없는 동일복제물이 성행하고 이렇게 원본과 복제 사이의 구별이 소멸되는 과정을 시뮬라시옹이라 칭했고 이것을 포스트모던사회의 특징이자 '과잉현실'이라 불렀다.

또한 포스트모더니즘의 다원성에서 비롯되는 '차이'들이 극단에 이르면 오히려 모든 차이가 말소돼 '동일자의 무한증식'의 단계로 전락하게 되는데 이것을 '내파'라고 하면서, 이렇게 현실과 시뮬라시옹은 서로 아무 차이도 갖지 않은 채 원형궤도를 따라 돌고 돌면서 실재와 가상, 현실과 재현, 원본과 복제, 기의와 기표의 차이는 붕괴되고, 두 대립 항들은 서로 구별되지 않으면서 하나로 결합된 거대한 시뮬라시옹의 세계로 변한다고 했다. 그리고 포스트모던의 혁명성은 이렇게 의미와 재현을 거부하는 것이라 하였다.

이런 맥락에서 '계급'의 개념도 없어지고 이것은 사회성과 역사성 모두를 소멸시킨다고 했다. 이렇게 원본이 복제를 닮아가는 현상 속에선, '세계'의 개념은 폐기되고 그로서 세계는 사라지게 되고, 이런 상황에서 생존하는 인간은 역설적으로 '관념화'된다고 비판했다. 이것을 미디어 이론가 안더스는 '디스토피아'라 불렀는데 보드리야르는 이런 상태 자체를 포스트모더니즘의 불가피한 조건으로 받아들였다.

그가 눈여겨본 것 중에 트롱프뢰이유 (눈속임) 미술이 있는데 환언하면, 극사실주의 회화가 그것이다. 보드리야르는 사실보다 더 사실적으로 그려진 이 그림들 속에서 현실의 실재성이 소실됨을 지적한다. 이렇게 일순간 사라져버리는 속성을 가진 현대 예술에 대해 그는 하루살이 예술, 반(反)예술이라 불렀고 그래서 결국 현대의 이미지들은 '사라져버린 무엇인가의 흔적일 뿐'이라고 회의했다.

프레드릭 제임슨은 미국의 마르크스주의 문화비평가로, 포스트모더니즘의 혼성과 해체의 모더니즘을 정신분열로까지 연결지으면서 그것을 시간인식과 연관짓는다.

프레드릭 제임슨 (1934-)

즉, 과거-현재-미래의 순차적 시간 인식이 아닌 과거나 미래에 대한 두려움에 기인하는 현재적 시간에의 집착이라 보았다. 거기서, 현재의 체험은 더 강렬하고 놀랍고 생생해지면서 물질화되고 그래서 세계는 신비하고 억압적이면서도 환각적 에너지로 충만하게 느껴진다고 말했다. 이것은 헵디지의 견해와도 비슷하다. 그리고 제임슨은 이런 현상을 라깡의 용어를 빌려, 언어적 혼란, 즉 기표들 간의 일관적 관계가 이루어지지 못함으로 보았다. 즉,모더니즘의 시간중심문화가 포스트모더니즘에 와선 공간중심으로 옮겨간 것을 말했다.

그리고, 그는 포스트모더니즘을 다국적 또는 후기자본주의의 '문화적 우세종'이라 불렀는데, 이것은 포스트모더니즘이 서구 자본주의 사회에서 문화적으로 우세한 현상이긴 하지만, 문화생산과 소비에 있어 결코 유일한 형태는 아님을 말한다.

그리고 에르네스트 만델의 세가지 분류-시장 자본주의, 독점자본주의, 후기 자본주의-를 인용하면서 이 세 번째 단계인 후기자본주의에 들어서면 '여태껏 상업화되지 않았던 분야에 가장 순수한 형태의 자본이 침투하는 현상'이 나타난다고 했다. 그리고 이 세단계를 각각 리얼리즘, 모더니즘, 포스트모더니즘으로 환언했다.

그러면서, 포스트모더니즘이 혼성모방의 문화이자 역사적 암시의 자족적 유희임을 지적했다. 혼성모방은 흔히 패러디와 혼동되는데, 둘 다 모방과 흉내의 성격을 갖지만 패러디는 '배후동기' 즉, 기준, 관습에서 나온 것을 흉내내거나 조롱하는 성격을 띠는 반면, 혼성모방은 '텅빈 패러디'거나 '공허한 복사물'이고, 거기서부터 어떤 종류의 기준이나 관습이 태어날 가능성이 없다는 차이점을 보인다. 이런 식으로 포스트모더니즘은 타문화를 '인용'하는 것을 넘어 '합병'까지 한다고 보았다. 이것은 곧 '주체의 죽음'과 연결되는 개념인데 이렇게 개인성의 말살이 혼성모방을 불렀다고 했다. 물론 여기서 개인적인 것이란, 모더니즘적 고급스럽고 특별한 어떤것에 가까운 개념이다.

또한 포스트모던 문화는 상호 텍스트성의 문화로서 깊이가 없는 표면적인 것이고 이미지의 문화여서, 그 해석적 힘을 다른 이미지나 다른 텍스트에서 빌려와야 한다고 보았다. 그 결과 남는 것은, '감동의 소진'뿐이라고 지적했다. 그 예로 '노스탈지아 영화'를 드는데, <백투더퓨처2> <페기수의 결혼> <엔젤 하트> <블루벨벳> <스타워즈> 가 그 실례이다. 이런 영화들에서 그가 지적하고자 한 것은, 이 영화들이 과거의 어떤 문화적 요소나 신화성, 또 스테레오 타입을 잡아내려 한다는 것과 다른 영화에 대한 영화, 또는 다른 재현에 대한 재현을 통해 '거짓 리얼리즘'을 제공한다는 것이다. 그래서 포스트모더니즘은 아무리 다른 이름으로 치장하여도 구제불능의 상업문화이며 사소함을 특징으로 하는 문화라고 비판했다.

마지막으로 질 들뢰즈는 프란시스 베이컨의 '신체의 코기토'적 회화에서 포스트모던적 징후를 간파했다. 그것은 데카르트적 코기토를 부정하는 말이다. 그래서 그의

'감각'은 유물론적 의미를 갖게된다. 감각은 인식 (정신)을 위해서가 아니라 욕망(몸)을 위해 존재한다고 보았던 것이다. 몸은 곧 '무정형의 고깃덩어리'라는 생각이 그것이다.

프란시스 베이컨의 회화는 폭력적인 인상을 심어주는데 그것은 '재현된 폭력'이 아닌, '감각의 폭력'이다. 현실의 잔인함이 아니라 회화의 잔인함, 즉 색채와 형태의 잔혹함인 것이다. 아르토식으로 말한다면 '잔혹함의 원본적 재현'쯤 된다. 그의 그림은 구상, 비구상 어느쪽에도 속하지 않으면서 '신체 (몸)의 신경조직을 자극해 그 쇼크로 변형된 몸'을 보여준다. 그의 그림 속에서 '고통받는 인간은 동물이고, 고통받는 동물은 인간'이 된다. 이것은 곧 '동물되기' '인간되기'의 의미로 환언될 수 있고 그래서 '창조적이며 역행적'이라 할만하다. 그리고 베이컨은 종종 인물의 얼굴을 지워버리는 작업을 했는데, 얼굴을 지운다는 것은 '유기체의 해체, 의미작용의 해체, 주체의 해체'로 해석될 수 있고 그렇게 파괴되고 망가진 속에서 역설적으로 미래가 느껴지는 그림을 그렸다.

프란시스 베이컨 작품

베이컨보다 훨씬 전 고야가 '광인'들의 얼굴에 매료된 것도 이와 비슷한 이유에서일 것이다. 그리고 베이컨의 그림은 전체적으로 히스테릭하다는 인상을 주는데, 히스테리화된 감각은 내재성과 초월성 (주체와 대상)의 구별을 말소시키고 재현적 자기를 파괴하는 작용을 한다. 들뢰즈는 이밖에도 베이컨의 그림에서 '힘'을 보았다. 하지만 그것은 '장식으로서의 힘'이 아니라 '리듬과 감각 사이의 관계'였다. 그리고 그것을 회화가 지향할 바라고 생각했다.

이렇듯 들뢰즈의 회화관은 '욕망의 내재성, 니체의 권

력에의 의지, 프로이트의 리비도'등의 다양한 요소들이 뒤섞인 것으로 그가 회화에서 기대한 것은 '감각의 폭력을 통한 신체의 변형'이었다. 이런 폭력, 자기파괴성, 해체 같은 개념들이 바로 포스트모던과 닮아있다 . 화가 베이컨은 한편, 들뢰즈적 코기토를 그림으로 보여주면서도 사진에 대해선 거부감을 보여 일면 보수성을 엿보게 한다.

문화연구와 포스트모더니즘의 관계를 보면, 영국에서 태동한 문화연구는 전통적 커뮤니케이션 연구와는 대비되는 비판 커뮤니케이션의 한 갈래였고 1950년대 영국의 리처드 호가트에 의해 'popular culture'속에 침투하는 대량문화에 대한 문제의식이 발로가 되었다. 그후, 톰슨, 윌리엄스, 홀로 이어지는 영국문화연구는 1970년대 프랑스의 후기구조주의자들의 영향을 받으면서 변모하고 그러다 1980년대 영국문화 연구가 미국적인 것으로 변화하는 과정에서 또다시 많은 혼란이 일었다. 그러나 문화연구가들은 일정한 공통점을 갖는데 그것은, 사회는 지배집단들과 종속집단들로 나뉜다는 것. 지배 집단들은 문화 영역뿐 아니라 정치, 경제에서도 그들 집단의 권력을 행사한다는 것, 문화적 의미들은 사회구조와 권력에 연결된다는 것, 매체 사용자에 의한 문화창조는 반대 정치를 위한 하나의 기초로 활용될수 있다는 것이 그것이다.

상기한대로, 1970년대에, 레비스트로스, 알튀세르, 바르트, 푸코, 라깡같은 프랑스 후기 구조주의자들이 문화연구에 일조를 하는데, 그들에 의해 발전된 문화적 대상들에 대한 언어학적 구조주의는 문화와 사회구조를 결합시키는 전기를 만든다.

홀은 이 단계에서, 영국의 문화주의 전통과 구조주의의 입장인 알튀세르의 이데올로기론을 결합시키는데 알튀세르의 이데올로기란, 지배계급에 의해 피지배계급에게 주어지는 고정된 체계가 아니라 지속적으로 재생산되는 것이고, 사람들에 의해 재구성되는 역동적 과정이었다. 여기에 그람시의 헤게모니 이론도 가세해서 문화의 현실 참여적 요소가 강조된다. 그러다 미국의 문화학자 피스크에 이르러, 텍스트를 해독하는데 결정적 영향을 행사하는 것은 해독자의 사회적 위치에서 비롯되는 특수한 경험이 아니라, 담론 내에 주어진 위치의 다양성이나 해독자의 다양한 담론의 경험이라고 하였다.

문화연구와 포스트모더니즘의 공통점은 우선, 양자 모두 반(反)본질주의라는 것이다. 이 둘은 기원과 인과성보다는 효과, 가능성의 조건, 중층 결정 등에 대해 보다 많은 관심을 갖는다. 그래서 주체는 유동적인 것이며 상황 속에서 재생산을 반복한다고 본다.

그리고 문화연구와 포스트모더니즘은 둘 다 비슷한 인식론적, 정치적 전략을 갖는다. 둘 다 반 엘리트적이란 뜻이다. 이점에 관해 푸코는, 권력은 끊임없는 저항 속에서 발생한다고 지적했다. 둘은 그러면서도 차이를 보이는데, 포스트모더니즘은 문화적 실천이 낳는 효과성의 복수상태를 이론화한 것이지만 문화연구는 이데올로기라는 단일 효과성의 영역을 상정하는 접합이론이라는 것이다.

즉, 문화연구는 담론효과에 관한 이해를 이데올로기적 실천에 국한시키고, 그래서 이데올로기 안에 모순된 담론이 존재하게 되고 그런 이데올로기가 다른 효과들과 뒤엉키게 돼서 왜 대중이 특정한 투쟁영역을 선택하고 어떻게 투쟁의 장소로 모이게 되는지를 설명하기 어렵게 만든다는 맹점을 지닌다.

그밖에, 피스크는 이데올로기로부터 분리된 '즐거움'을 문화의 주요 테제로 삼는다. 그것은 바흐친의 '카니발' 이론과 바르트의 '희열'에서 비롯된 것으로 카니발은 도덕, 훈육, 사회 통제에 반대하는 신체적 즐거움과 관련돼있고, 웃음, 공격성, 퇴폐를 특징으로 한다. 또한 기존 질서로부터 일시적 해방을 추구하고 위계 질서를 정지시킨다. 의미나 깊이를 거부하고 단지 육체적 감각 위에서만 작동하므로 주체성을 해방시킨다. 바흐친은 이렇게 대중문화를 저항의 원천으로 보았다.

그런가하면 바르트는 '희열'을 말하면서 그것은 오르가즘, 기쁨, 안정 상태의 상실 같은 것이며, 육체적인 것이고 이데올로기를 넘는 것이며 문화적 산물이 아닌 자연의 산물이라고 했다. 이런 카니발적 문화의 정의에 대해 그로스버그는 '정서 affect'를 중시하는 '정서경제'론을 내놓는데 정서도 이데올로기처럼 특정 상황에선 개인으로 하여금 투쟁하게 하는 원동력이 된다고 했다.

이렇듯,영국에서 시작된 문화연구는 포스트모더니즘과 연결되고 그것은 종잡을 수 없는 찰나적인 무엇, 사소하고 소멸하는 것, 원복과 복제의 경계가 허물어진 것 등등의 의미를 갖는다. 더 이상 고급/대중문화의 개념은 성립치 않으며 단순히 문화예술의 차원을 넘어 삶의 모든 차원으로 확산되었다. 그러면서 인간은 주체 상실과 혼돈, 파편화되고 분절되었다. 그러나 그 고통 속에서 비로소, 그동안 인간을 억압해온 지배계급의 이데올로기를 간파하고 그것에 저항할 필요성을 느끼게 된다. 포스트모더니즘은 정신분열이다 . 하지만 그것은 자유를 위한 광기다. 푸코와 데리다도 이런 맥락에서 포스트모더니즘과 연계지을 수 있다.

참고자료-<문화연구이론> 정재철 편저, 한나래 1999 / <진중권의 현대미학>진중권, 아트북스, 2005 <문화연구와 문화이론> 존스토리, 현실문화연구 1999 / 인터넷.

<언더문화속 저항의 의미>

"궁핍한 예술가라는 신화는 새빨간 거짓이다.. 모든 것
이 다 새빨간 거짓말이라는 것을 깨닫고 난 뒤에야 사
람은 더 현명해지고 동료 인간의 피를 짜내고 그를 태
워 없애기 시작한다. "
미국문단의 이단아 찰스 부코스키 소설 <팩토텀>에
나오는 한 부분이다. 그를 일컬어 흔히 언더문학의 대
부라 한다. 얼핏 들어도, '언더'는 소외, 음울함과 연결
된다.

찰스 부코스키(1920-1994)

언더는 물론 '언더그라운드'를 줄여 쓴 것이고 주류를 뜻하는 '오버그라운드'의 반의어로 보면 된다. 오버그라운드가 빛, 양지, 전통 규범 등을 나타낸다면 그 반대 개념인 언더그라운드는 어둠 음지 급진 부정 반체제 자유 등을 나타낸다 . 언더 역시 문화양식의 한 유파지만 전통적 문화 규범을 파괴하고 해체하며 비상업적, 실험적, 전위적 방법을 택한다. 그러기에 그들은 환영받지 못하고 지하로 숨어드는 것이다. 즉 상업성을 무시한 전위 예술(前衛藝術) 또는 실험 예술로 이해하면 된다.

우선 언더 영화를 보면, 1930년대 아방가르드 영화인 장 콕토의 <시인의 피>를 효시로 보는 견해가 많다. 그 결과 1940년대 미국엔 아방가르드 영화 전문관이 설립되고 최근에는 비디오 아트와 결합하는 실험적인 영화들이 많아졌다 언더 영화는 영화의 스타일, 장르, 투자라는 기존의 규범에서 벗어난 것으로, John Waters의 <Pink Flamingos> David Lynch´의 <Eraserhead> Andy Warho의 < Blue Movie>등이 있다
1950년대 말 언더영화는 샌프란시스코, 캘리포니아, 뉴욕 등지에서 활동안 초기 독립영화제작자들을 묘사하

곤 했다. 1960년대 말 미국에서는 이런 언더영화가 성숙되었고 개중엔 자신들을 대항영화, 환각영화등과 구별하고자 하는 시도가 있었고 그보다는 아방가르드나 실험영화로 불리길 더 원하는 풍조가 나타나기도 했다. 1970~80대 들어서면서 언더영화는 독립영화 내 대항문화적 요소가 더 짙어진다. 그러나 최근 1990~2000년대 초에 와서 이런 개념은 희석되고 보다 포멀한 실험적 요소가 주가 되면서 저예산, 독립적 제작, 반反관습적 컨텐츠 등을 특징으로 한다. 이렇게 최근 언더영화는 거의 무예산에 낡은 장비로 촬영되고 터부시되는 주제를 다르며 대부분 venu나 바에서 상영된다.

언더음악을 보자. 기존의 작곡 양삭을 완전히 뒤엎는 '우연의 음악'이 탄생한다. 대중문화에 속하지 않고 순수한 목적에서 자신만의 문화를 지향하고 일반적으로 언더밴드라 하면 클럽에서 메탈이나 록, 힙합을 연주하는 그룹을 통칭한다. 한국에서는 1990년 대에 획일적인 대중문화에 저항하는 세력으로 등장하기도 했고 젊은이들이 많이 모이는 홍대 주변의 소극장 등에서 많이 활동했다.

언더미술은 인간의 내적 욕망을 극대화시키고 재구성하는 실험적 양식의 퍼포먼스를 구현한다. 언더미술은 합법, 비합법을 막론하고 비대중적. 스트릿아트적 요소가 내재한다. 언더 시각미술은 화랑이나 박물관 대신 주로 온라인 ,뮤직 페스티벌에서 선보인다. 예로 Burning Man and Rainbow Gatherings.가 있다.

그래프티 (거리 낙서)역시 스트릿아트의 비합법적인 형태다. 그러나 대중의 반응이 늘 호의적인 건 아니다. 그럼에도 이런 예술이 나타나는 건 미를 확산시키고 황폐하고 텅 빈 벽들에 그림을 그려 도시경관을 더 흥미롭게 하려는데서 기인할 것이다.

언더문학가로는 랭보, 위스망, 말라르메등이 최근에 새롭게 부각되고 있다. 참고로 루카치는 아방가르드에 대해 부정적 시각을 견지한다. '고독은 인간이 처한 사회적 환경이나 개인적 특성에 기인하므로 개인의 고독은 특수한 사회 현상일 뿐인데, 아방가르드 존재론은 인간의 고독과 그것에서 파생된 불안의식을 인간의 본성이라고 규정짓고 고독을 보편화시킴으로 해서 고독이 인간의 관계 맺음에 부정적 역할을 담당하고 인간 고립을 생산하여 탈사회화를 가속시키는 주범이'라고 지적한다.

이에 반해 아도르노는 '고독은 개인적인 것이 아닌 역사적으로 형성된 것이고, 물질주의가 팽배한 현대사회의 소외현상에 극명하게 항거하는 하나의 양식이며 그것에 내재한 힘이 인간의 역사를 재창조할 것이라며

반박한다.

언더문학은 클랜데스틴clandestine문학이라고도 불리우고 주로 자기출판 self-publishing 형태로 출판된다. 언더문학은 검열, 고발, 또 다른 억압을 전복시키려고 하며 아카데믹 내에선 이런 문학을 공식적 승인이나 정통적 출판의 반대개념인 비주류문학이라 칭한다.

18세기 계몽주의 프랑스엔 팸플릿이나 필사본 형태의 언더 출판물이 풍부했고 앙시앙 레짐에 반하는 불경스런 내용이나 노골적인 무신론적 주장이 많았다. 또한 이웃 국가인 스위스나 네덜란드의 언더 출판물들이 밀반입되기도 하였고 이것들은 흔히 "철학 작품"으로 불렸지만 포르노그라피, 유토피아 소설, 정치 슬랜더, 그리고 급진적 계몽주의 철학자들에 의해 쓰여진 진짜 철학서에 이르기까지 다양했다.

간혹 합법적 출판사가 이런 언더출판물을 내기도 했는데 그 예로 파리 올림피아 출판사가 20세기 영어권 작가들을 출판한 것이다. 그중 헨리 밀러가 대표적인데 만약 미국에서 출판되었다면 검열과 기소를 면치 못했을 것으로 보인다.

프렌치 리지스턴스 (레지스탕스)은 2차대전동안 나치나 비시 정권 부역자들에 맞서 싸운 무장한 남녀들이었고 그들은 모든 경제적, 정치적 층위에서 나타났는데 망명자,학자, 학생들, 귀족, 로마 카톨릭 보수주의자,프로테스탄트, 무슬림, 유대인 자유주의자 무정부의자, 공산주의자등으로 이루어졌다. 프랑스 레지스탕스는 1944년 6월 노르망디 상륙 이후 연합군의 빠른 진격을 도왔고 그들은 또한 나치에 기반한 전기, 물류수송, 통신망 등에서 태업을 하며 간접적 도움을 주기도 했다. 그들의 이런 행동은 정치적 문제점은 좀 있었으나 독일 점령기와 이후 수십년동안 중요한 역할을 했다. 또한 게릴라 전술과 아울러 지하 신문을 발행함으로서 프랑스 현대 언더문학의 한 형태를 보여주기도 했다. 노르망디 상륙 이후 레지스탕스는 보다 체계적인 군사 조직i으로 발전하면서 인원도 대폭 늘어났고 그것은 프랑스가 1945년 유럽내 4위의 군사 대국에 이르는데 밑거름이 되었다.

프랑스에서의 언더 철학적 문학들을 살펴보면, 프랑스에서 철학 종교 윤리 사회적 문제들을 다루는 언더문학들은 매우 인상적이다. 그것은 16세기까지 거슬러 올라가고, 프랑스의 자유 사고 free thought의 전통을 잘 표현하고 18세기 전반까지 필사본으로 전파된다. 그리고 이것은 프랑스 백과전서파 운동과 자유주의의 견고한 기틀이 되었다. 언더 필사본 기술은 혹독한 검열을 피하기 위해 사용되었고 1710-1740년 동안 가장 흔했는데 이런 저작물들은 종종 압수되었지만 프랑스 대혁명까지 꾸준히 복사되고 배부되었다. 때때로 정체가 드러난 저자들은 투옥되기도 했으나 이런 체포, 책을 불태우는 것조차 지하 출판물의 흐름을 막지는 못했다. 그러다 1750년 이후엔 은밀한 배포가 불필요해졌는데, 그것은 검열제가 폐지되고 보다 중요한 논문treatise들이 인쇄되었기 때문이다. 볼테르 등 일군의 저술가들은 자신들의 이신론이나 무신론을 전파하기 위해 이것들을 사용했다.

영국의 대항문화나 언더문화는 1960년대부터 발전되었다. 이것은 미국의 히피 하위문화와 연결돼있고 자기들만의 잡지나 신문, 밴드, 클럽, 대안적 생활양식을 갖고 있었고 대마초를 피웠고 대안적 사회를 이루기 위한 사회정치적 혁명적 강령을 갖고 있었다. 많은 언더 운동은 1950년대 비트닉 비트 제너레이션에서 영향받았고 William Burroughs와 Allen Ginsberg, 이 둘은 1960년대 히피나 대항문화에 길을 터줬는데, 비트 작가들은 자유롭고 실험적인 아카데믹 저술가들과 공생 진화하기도 하였다.

다음은 소련 반체제 인사들의 지하출판물 사미즈닷samizdat이다. 소련의   사미즈닷은 동 블록eastern bloc을   가로지르는   반체제   인사들의   '자기출판 self-publishing' 형태를 말하고   개개인들은 출판물을 필사해서 유포시켰다. 사미즈닷이란 용언는 러시아 시인 니콜라이 글라즈코브가 말장난처럼 한 데서 유래되었다고 한다.

당시 모든 소련 타자기나 프린팅 도구들은 공식적으로 등록하게 돼있었고 지문 등을 통해 KGB가 사용자를 알아내게 돼 있었다. 하지만 일부 동독이나 동유럽제 키릴 타자기(에리카ERICA)들이 여행 등을 통해 밀반입되었고 그것은 사용자를 추적하는 게 어려웠다. 해외에서 구입해 소련 내로 밀반입된 서구산 타자기들은 라틴문자를 통해 키릴 문자텍스트를 타이핑하는데 쓰였다.

'모더니즘은 러시아 지하문학 속에서 계승되어 왔으며 때로 가장 비정치적으로 보이는 비 공식 문학들조차도 작가 권한에 대한 강한 요구를 드러낸다...러시아 언더그라운드는 사회주의 리얼리즘을 중심으로 하는 공식 문학과 함께 모더니즘으로부터 포스트 모더니즘으로의 문학사적 흐름에 있어 중대한 역할을 한 것'으로 전해진다.

미국문단의 이단아이자 언더문학의 대부로 추종받는 헨리 찰스 부코스키(Henry Charles Bukowski, 1920-1994)는 독일 태생으로 어릴 때 미국으로 건너가 평생을 살았고 대학을 중퇴한 뒤 첫 단편을 발표

하지만 문단에 환멸을 느껴 하급 노동직을 전전한다. 그러다 우체국에 취직해 12년을 일하며 시를 쓰고 사직한 뒤 그 경험을 바탕으로 <우체국>을 집필한다. 이 작품에 그의 분신인 헨리 치나스키가 처음 등장하며 부코스키만의 스타일을 선보이며 자전적 소설의 시작점이 된다. 연대순으로 보면 치나스키가 소년이던 『햄 온 라이』(1982), 글쓰기를 포기하고 이 일 저 일을 전전하던 시기의 『팩토텀』(1975), 중년에 접어들어 일정한 직업을 가지게 된 『우체국』을 거쳐 50대가 되어 비로소 전업 작가로 이름을 알리게 된 『여자들』(1978)로 이어진다.

그의 작품들은 로스엔젤레스의 사회적 문화적 경제적 분위기를 냉소적이며 저항적으로 그렸다. 그의 작품은 평범하고 가난한 미국인을 그렸고, 글쓰기, 알콜, 여성편력, 그리고 힘든 노동을 그렸다. FBI가 그를 추적하기도 했는데 그것은 LA 언더그라운드 신문<open city>에 실린 그의 칼럼< notes of a dirty old man> 때문이었다.

다음은 한국의 김운하 (1964-)를 언더문학의 한 사례로 들 수 있다. 그의 소설 <언더그라운더>은 기성문화에 저항하는 반문화운동을 지향하는 잡지 <언더그라운더>를 만드는 젊은이들을 둘러싼 그늘의 고뇌와 사랑,투쟁과 갈등 이야기를 다루고 있다. 회의주의자인 니체와 낙천적인 니체주의자, 장엄한 예술적 자살을 꿈꾸며 관을 끼고 사는 쇼펜하우어주의자 사진작가 등이 등장한다. 그들은 "가장 소돔같고, 가장 고모라같은 것으로 무장한 테러리스트들임'을 자처하며 동성애 특집 기사등 대항적 문화운동을 벌이며 기성세대에 맞선다. 이 소설은 결국 세기말에 처한 한국 사회에 대한 비판적 고찰이면서 동시에 글쓰기와 예술에 대한 자의식적 탐구로 읽힐수 있다. 그러나 결국 '언더그라운더'는 보수세력의 금력 앞에서 무너지고 만다(필자가 이 작품을 아직 접하지 못해 인터넷 자료만으로 작성한것임)

http://blog.yes24.com/blog/blogMain.aspx?blogid=rosebay007&artSeqNo=431605
https://en.wikipedia.org/wiki/Underground_art
https://www.cambridge.org/core/journals/new-perspectives-on-turkey/article/abs/underground-literature-and-its-influence-on-youth-in-turkey/44353284699C253AFB4627331C32DEE0
https://en.wikipedia.org/wiki/Clandestine_literature
https://www.encyclopedia.com/humanities/encyclopedias-almanacs-transcripts-and-maps/clandestine-philosophical-literature-france
https://en.wikipedia.org/wiki/Charles_Bukowski

<서구예술론>

서양문명의 출발로 언급되는 고대철학은 그리스에서 시작되었다. 고대는 중세와는 달리 아직 '신'에 대한 개념이 강하지 않았으므로, 그들 나름의 자유로운 '인간중심'적 사고가 가능하였다. 플라톤에서 아리스토텔레스를 거쳐 화려하게 만개한 그리스 철학이 서양철학 전반에 끼친 영향은 바로 감성과 이성의 길항작용에 관한 것이었다. 그 후 중세와 르네상스를 거쳐 근대철학에서 칸트와 헤겔은 감각과 정신의 문제를 예술과 연관지어 생각하고, 니체에서 시작된 현대예술에선 벤야민과 하이데거는 아우라의 상실에 대해 상반된 견해를 보인다.

플라톤에게 있어 '예술'은 자연의 모방mimesis이었다. 하지만 플라톤은 눈을 현란케 하는 것이 이성을 흐리게 한다는 판단하에 예술에서 감성의 자제를 요했다. 그가 가장 중요시한 것은 바로 '저 너머 어딘가의 이데아'였다.

그에 비해 아리스토텔레스는 미美에 대해 보다 발전된 견해를 지녔고 그것이 굳이 플라톤이 말하는 선과 연결될 필요는 없다고 했다. 미 자체로 예술은 그 당위성을 얻는다고 했다. 그역시 예술을 자연의 모방으로 보았지만 플라톤보다는 현세적 예술관을 견지했다. 그리고 역사가와 예술가의 차이점을 논하면서 후자에 비중을 두었다. 그리고 그의 ′시학′에선 언급된 카타르시스 이론은 후세 예술에 지대한 영향을 끼쳤다.

중세를 한마디로 정의한다면, 신에게 인간이 억압된 시기였다. 인간의 존재는 부정되고 모든 선과 지고의 가치는 온통 신에게로 향했다. 그래서 미란 신의 그림자에 불과하다고 생각되었다. 그래서 예술을 위해 상징과 알레고리가 고안되었고 또한 신의 화려함을 알리기 위해 보석 가공이 발달했다. 또한 비잔틴 예술의 아이콘들이 생겨났고 인간은 언제나 도식적이고 기하학적 형상으로 표현되었다. 그것은 12세기 로마네스크 양식에서 강도를 높여 아예 성당 내부를 어둡게 하고 단지 한가닥 빛만을 흘려 넣는 방식을 취했다. 그렇게 인간은 죄 속에서 살면서 늘 신의 구원을 청하는 존재로 인식하게 만들었다. 여기서 그리스 예술의 핵이었던 대칭 질서 균형이 재등장했다.

이렇듯 중세가 신 중심의 예술관을 펼쳤다면 15세기 이탈리아에서 발흥한 예술부터는 변화가 보인다. 인간의 자의식이 강조되는 인간주의 예술이 그것이다. 신을 통한 바라봄이 아닌 인간의 눈으로 바라본, 보이는대로의 자연을 (대상을) 표현하는 예술이었고 대표적인 이가 바로 다빈치였다. 덧붙여 다빈치는 인간묘사에 있어 해부학까지 거론하여 예술을 응용학문으로까지 발전시켰다. 더불어 회화에선 원근법이 나타났고 이것은 중세 미술과의 중요한 차이점인데 중세엔 크고 작은 모든 것이 종교적, 형이상학적 가치관에 의해 표현되었다.

칸트에 따르면, 미를 정의한다는 건 매우 곤란한 것이고 이런 심미적 판단이 반드시 이상과 결부돼야 하는 것은 아니라고 했다. 그것을 '취미판단'이라 명명했고 이런 판단엔 보편성이 따라야 한다고 주장했다. 그리고 미(아름다움)는 바로 인식들의 자유로운 놀이에서 비롯되는 것이고, 상상력이 오성에서 벗어나 보편성을 충족시킨 다음 다시 오성에게 돌아오면서 태어나는 것이라는 다소 난해한 예술관을 보였다. 심미적 이념에 관해서는 완전히 포착되지 않고 단지 부분적 묘사만 가능한 것이라고 덧붙였다. 하지만 거기서 비로소 아름다움이 생겨난다고 했다.

이마누엘 칸트 1724-1804

칸트의 철학이 감각을 중시한 경향이 있다면 헤겔은 정신의 중요성을 역설했다. 그에게 세상은 곧 정신으로 이해되었고 그 정신은 정반합의 변증법으로 발전하면서 점점 자신에게로 귀환한다고 보았다. 이 지점에서 미학이 형이상학의 영역으로 옮겨가게 된다. 가시적 외형의 세계는 그 안에 내포된 정신이 많을수록 더 아름답게 보인다고 해서 미의 출발을 정신에 두었다. 그래서 미를 '이념의 감각적 환영'이라 칭했고 그래서 곧잘 정신현상학이라 부르기도 했으며 실제로 헤겔은 학문의 중요성을 자주 언급했다. 그리고 이런 것들은 인간만이 할 수 있다고 말해 인간중심적 철학관을 펼쳤다.

여기서 쇼펜하우어와 본질적 차이를 드러내는데, 헤겔은 예술이 삶보다 크고 정제된 것이어야 한다고 했지만 쇼펜하우어는 인생의 모든 질곡이 다 예술적 가치가 있다고 묘사해 보다 현대적 예술관을 보여준다. 헤겔이 다소 완고하게 들리긴 하지만 그것은 어쩌면 이미 예술이 감각만으로 묘사되기엔 너무 혼탁한 시대에 살고 있다는 자괴감은 아니었을까. 그래서 철학의 순수하고 체계적 사유를 지향한 것으로 볼수도 있다.

시기적으로도 근대에서 현대로 넘어오는 1900년에 죽은 니체만큼 기존의 서양철학을 부정하고 다가올 혼돈의 시대를 적절하게 예언한 철학자도 없다. 혼돈이 깊을수록 영원히 생성 변모하는 초월의 세계와 초인을 향한 기대를 가져야 한다는 그의 자기파괴적 예술관은 지금의 포스트모더니즘에 단초를 제공했다. 그는 소크라테스 이전의 그리스 예술에 매혹됐고 지성과 감성이 공존했던 그 시기를 그리워했다. 그것은 아폴론과 디오니소스로 표현된다.

프레드리히 니체 (1844-1900)

니체는 3000년의 서구형이상학과 기독교를 부인하면서 신은 죽었다고 말했다. 그 대안으로 생성과 극복의 축제를 들었고, 예술과 삶이 놀이처럼 전개돼야 한다고 말했다. 이런 그의 사상은 다분히 디오니소스적이다. 환언하면 탈형이상학의 시대를 예견한 것이다.

그의 철학은 , 허무주의, 힘에의 의지, 영원회귀, 초인으로 요약되고 여기서 그가 말하는 허무주의는 다소 복잡한데 존재와 존재자가 마치 진리 그 자체인 것처럼 이해되는 은폐성과 가치 부재를 말한다. 그리고 ′힘′은 계속 움직이면서 차이를 생성해내는 존재로 보았고

'초인'은 자연과 인간이 서로 예속되지 않은 상태에서 힘을 의지로 하는 인간을 말한다. 여기서, 근대인간적 전형이 허물어지게 된다.

니체에게 예술이란 바로 세계 자체였다. 헤겔처럼 정신으로 응집된 그런 형이상학의 세계가 아니었다. 그래서 세계를 예술가 없는 예술작품이라 칭했고, 그것은 자기 창조적 성격을 갖는다고 말했다. 그리고 인간에게 '생명의 의지'라는 수식어를 붙여주었다. 다시 말해 삶이란 무의 세계로 보이지만 그럼에도 모든 것이 그 형상을 이루어가는 재현이라 보았고 그래서 그런 삶을 영위하기 위해선 삶을 예술처럼, 그리고 그 예술은 놀이처럼 즐겁게 진행돼야 한다고 했다. 또한 예술은 도덕을 초월하는 존재로 음악, 비극을 태어나게 하는 모체로 보았다. 여기서 그의 처녀작인 '비극의 탄생'이 나왔다.

디오니소스적 감성 속에서 인간 사이의 유대는 회복되고 인간에게서 소외됐던 자연도 다시 인간과 화해하게 될 것이라 내다보았다. 그러면서 자아 해탈과 상징의 중요성, 그리고 아폴론적인 것에 대해 재해석을 내렸는데 특히 아폴론적인 것은 디오니소스적인 것의 은폐에 다름아니라고 갈파했다. 그리고 도취를 미의 근본이라 보았고 그것은 생물학적 기쁨으로 연결되면서 예술의 '

몸 학'을 주창하게 된다. 여기서의 몸이란 영혼과 육체의 이원론에서 파생된 것이 아닌 그것을 극복하고 통합한 존재를 말한다.

삶을 인간의 생리적 현상에서부터 문화 역사에 이르는 모든 개념으로 보고 그래서 초인을 기다려야 한다는 사상을 말한 그는 초월의 세계가 꼭 실재할 필요는 없고 오히려 그것은 무無자체로 존재한다고 말했다. 이런 무의 세계에서 생명은 존재상실감을 경험함으로서 오히려 긍정적 허무주의를 갖게 된다는 것이다.

그리고 '지혜'에 대해서도 언급했는데 그것은, 사라지는 것과 소멸하는 것을 긍정하는 자세이며 서구철학에 결여된 부분이라고 하였다. 하지만 이것들의 전제가 폭력이어선 안된다고 했고, 자기파괴와 무를 향한 계속되는 생성이란 다름아닌 삶의 다원성을 말하는 것이고, 여기서 비로소 현대예술과 가치관은 발아했다.

니체에 의해 현대예술의 판이 깔리면서 벤야민은 아우라의 상실에 대해, 하이데거는 예술의 본질은 존재라는 상반되는 예술론을 피력하게 된다.

1837년 사진의 발명과 함께 그동안 고고하고 저 먼 곳의 존재로 인식돼온 예술관에도 일대 혁신이 일었다. 이런 현상을 벤야민은 아우라 aura의 상실이라 표현했고 그것을 아쉬워하면서도 이제 비로소 인간이 예술로부터 자유로워짐을 긍정적 시선으로 바라보았다. 그리고 그동안 아우라가 통치자들에 의해서 이데올로기로서 얼마나 끈질기게 이용돼 왔는지를 지적했다. 이제 예술은 복제의 시대로 접어들어 원하는 사람은 누구든 소장할 수 있게 되면서 대중적이며 전시 가치를 갖는 존재로 변화한 것을 다행으로 여겼고 예전 예술의 본질이었던 제의적 성격이 사라지면서 감상자에게 비판과 향수를 동시에 가능케 하는 존재로 변했음을 간파했다. 그런 맥락에서 카메라의 세심한 필터에 매력되었고 그것이 영화로 발전되자 이제 예술은 완전히 새옷을 입은 것이라 생각했다. 이런 비슷한 생각은 다다이스트들도 가졌지만 그들의 지나친 예술지상주의는 결국 전쟁미학이라는 극단적 상황을 연출하는 지경에 이르고 말았다.

상기한 것처럼 벤야민은 분위기aura의 파괴가 현대예술의 특징이며 아트제가 찍은 1900년경 사람 없는 파리의 사진에서 그것을 확인하면서 비로소 사진의 정치학을 터득하게 된다. 그밖에도 벤야민은 언어와 비극관에서 탁견을 발휘했고 파사주 이론을 개진했다.

 파사주이론이란 거리를 배회하는 이들 자체가 전시품

으로 전락하는 것을 말한 것이다. 다시 말해 자신들의 노동력을 전시하고 다닌다고 본 것이다. 인간의 물화物化를 지적한 것이고 이런 벤야민의 감각적 혜안은 TV와 영화를 비롯한 다양한 미디어에 단초를 제공했고 앞으로의 시대는 더 이상 상징의 예술이 아닌 알레고리의 기술이 지배할 것이라 예견했다.

발터 벤야민(1892-1940)

그리고 '기술복제시대의 예술작품'이란 논문에서 '시뮬라크르'의 개념을 보여주기도 했다. 현대의 예술복제는 인간으로 하여금 원전과 복사본의 차이를 느끼게 해 복제품에 존재하는 보편의 가치를 인정하게 하는 힘을 갖고 있다고 보았다. 이런 의미에서 벤야민은 리오타르에 가까이 위치하고 있다.

이런 벤야민과는 달리 하이데거는 매우 보수적인 예술관을 견지했다. 예술작품 고유의 존재방식에 대해 몰두했고 사물의 사물성은 자생적이고 내재적인 것이라 보았다. 그래서 사물성을 제대로 보기 이해선 사물을 도구화 할 필요가 없다고 생각했다.

그 실례로 하이데거는 반고흐의 그림 <구두>(1886)를 들었고 구두는 농부의 근면하면서도 고단한 삶을 드러내는 것이라고 말하면서 이렇듯 예술작품 자체에 이미 도구와 사물이 공존한다고 말했다. 이것을 그 나름의 '은폐성'이란 말로 표현했고 환언하면 신전이나 신상 바로 그 안에 신 자신이 있다는 얘기와 같다고 했다. 결국 세계의 드러남과 대지의 은닉성이 갈등하는 공간을 예술작품이라 하였으며 이 과정에서 늘 친숙하게 여겨지던 것이 낯설게 다가오는 전복 현상이 일어난다고 말했다.

그리고 벤야민과는 달리 아우라를 상실한 예술은 더 이상 예술품이 아니라고 비판하면서 아우라 상실을 세계의 붕괴라고 명명했다. 그 이유는 존재자의 진리가 그 안에 더 이상 내재하지 않기 때문이라고 했다. 이렇게 그는 아우라의 개념에서 벤야민과 상반되는 견해를 보였다.

결론적으로, 플라톤과 아리스토텔레스의 고대 예술관에선 감성과 이성의 문제가 중요시되었고 플라톤이 선과 이데아에 집착한 반면 아리스토텔레스는 매우 현대적인 의미의 감성의 개화와 인간주의 예술관을 피력했다.

이어 중세로 넘어오면서 인간은 신에게 종속되고 성당은 어둡게 건축돼 창을 통해 들어오는 한줄기 빛 (신의 그림자)에 의해서만 살아지게 하였다.

그러다 15세기 이탈리아에서 비롯된 르네상스부터는 인간이 자의식이라는 개념에 눈을 떠 그것을 예술작품으로 표현하기에 이르고 다빈치는 해부학까지 동원한 인체묘사를 주장했으며, 회화엔 원근법이 도입됐다. 중세의 원근의 의미는 오로지 종교적 의미를 기반으로 했지만 르네상스에선 인간의 시야와 육안에 잡히는 그대로의 대상을 표현한다는 다분히 인간중심적 예술관이 퍼지게 된다.

그 뒤 칸트와 헤겔에 이르러 근대철학이 개진되는데 칸트는 예술에 있어 감각의 중요성을, 헤겔은 정신을 강조해 상반되는 입장을 보였고 그러다 1900년에 죽은 니체에 의해 근대는 전복되고 마침내 현대의 장이 열리게 된다. 더 이상 낡은 신神은 존재하지 않는다는 충격적인 말을 세상에 던짐으로서 파괴의 자기축제적 삶을 강조했고 그것이 곧 허무한 세상을 이겨내는 방법이라고 하였다.

이런 니체에 의해 열린 현대예술은 아우라를 언급한 벤야민에 의해서 매우 예민하고 지적인 방법으로 개진되었고, 벤야민은 아우라의 상실이 예술의 고전성은 상실했지만 대중성과 비판의 기능을 불러와 오히려 인간에게 도움이 되는 시대가 열렸다고 보았다. 하지만 하이데거는 여전히 사물의 사물성 자체를 중시하는 예술관을 보였고 아우라 상실을 통탄했다.

비록 난삽할 정도로 다양하고 복잡하게 뒤얽힌 서구예술사지만, 요약하면 현대 예술의 발단을 니체로 보고 그 뒤를 이어 벤야민이 미디어시대를 예견한 것으로, 그리고 그것이 현재에 이른다고 보면 적절할 것 같다. 하지만 어떤 시대건, 예술이 이성과 감성의 공집합임은 재론할 필요가 없고 그런 의미에서 예술은 생명성을 기반으로 자연과의 조화를 추구하는 것이라 생각한다.

예술이란 무엇인가? /마키엘 하우스켈러, 철학과 현실사, 2004/ 니체가 뒤흔든 철학 100년/ 민음사 2003/ 현대사회와 예술/발터 벤야민 1998/ 진중권의 현대미학강의/진중권,

아트북스 2003/ 시학/아리스토텔레스, 문예출판사 2002/ 비극의 탄생/니체, 범우사 2002

<종교와 신경증>

종교를 협의적으로 말할 때는, 교단, 교의, 사제를 지닌 체계적이고 조직적인 것을 말하고, 종교적이란 말은 인간의 합리적 사고의 범주를 초월한 초자연적인 힘 (신)을 믿고 신뢰하려는 경향을 말한다.

에드워드 타일러는 1871년 <원시문화>에서 종교를 '영적 존재에 대한 신념'이라 정의했다. 그런 존재와 인간간의 상호관계로 형성된 체계가 종교라 할 수 있다. 이때 직관적 체험도 중요시 된다.

이에 반해 클리포드 기어츠는 종교를 문화 속 상징으로 표현한다. 에밀 뒤르켐은 <종교생활의 원초형태>에서 종교체계에 핵심이 되는 관념을 초인간적 존재, 초자연적 존재, 성스러운 것 등으로 부르지만 결국은 성과 속의 이항개념으로 본다. 이렇듯, 뒤르켐은 종교를 사회체계로서의 상징으로, 기어츠는 종교를 문화체계로 인식한다.

타일러는 애니미즘을 종교의 원초 형태로 보고 여기서 일신교로 발전했다고 주장한다. 즉, 애니미즘으로부터 사령死靈, 악령, 정령의 신앙으로 발전해서 신의 관념이 생겨 다신교가 되고 그것이 일신교로 진화되었다고 본다. 앤드류 랭은 원시 일신교를, 뒤르켐은 토테미즘을 각각 원초 형태로, 제임스 프레이저는 주술을 종교에 선행한 것으로 보았고 이것이 다시 과학으로 발전했다는 진화단계를 주장한다.

비교종교학은 약 1세긴 전, 막스 뮐러에 의해 시작되었다. 1856년 그의 <비교신화학>, 1870년 <종교과학 서설>이 시초가 되었다. 그는 이런 종교의 근간을 신화에서 찾았다.

오늘날의 종교심리학은 심층심리학과 정신분석에 많은 빚을 지고 있다. 프로이트와 융이 종교연구에 적용된 것이다. 거기에 프랑스와 독일에서 시작된 종교사회학이 가세했다. 그리고 현상학이 첨가되었다. 창시자는 에드문트 훗설이고, 그는 심성의 과정에 대해 순수심리학적 설명을 제한, 보충할 목적으로 철학적 분야로서 현상학을 생각했고 이것이, 예술, 법률, 종교를 연구하는데 적용되었다. 종교현상학은 세가지 요소를 필요로 한다. 신성의 본질 탐구, 계시 이론들 제공, 종교 행위 연구가 그것들이다.

종교경험의 본질은 두가지로 요약된다. 종교경험의 첫

번째 기준은 궁극적 실재로서의 경험되어지는 것에 대한 반응을 말한다. 이때 궁극적 실재란 모든 것을 조건 지우고 꽉 묶는것, 즉, '우리에게 감명을 주고 도전하는 것'을 말한다. 그러므로 유한한 것에 대한 경험은 종교적 경험이라 말하기 어렵다. 종교 경험은 단지 심성, 감정이나 의지의 문제가 아니라 총체적 인간과 관계됨을 말한다.

이 종교경험을 모로는 세가지 요소, 즉 지적인 것, 감정적인 것, 자발적인 것으로 나눈다. 여기서도 마찬가지로 종교경험은 인간 존재의 일부에만 관련된 여타 경험들과 분리되고 있다. 이것은 현대 심리학이나 정신병리학에 의해서도 증명된다. 그리고 이런 종교경험은 강렬함과 행위를 필요로 한다.

참고로 프로이트가 종교를 강박신경증의 일종으로 바라보는 시각을 살펴보면, 프로이트는 강박증 환자들에게서 보여지는 강박적 행동이 종교 형태에서 목격되는 의례들과 그 본질에 있어 크게 다르지 않다고 주장한다. 이들을 하나로 묶어 '강박신경증' (환자)라고 부르는데, 그러기 위해 일단, '신경증적 의례'를 "특정 일상 활동에 사소한 무엇을 보태거나 제한하거나 각색하는 것으로 이루어지는 것"으로 정의한다.

환자가 이런 행위들을 하지 않음으로서 불안을 느낄 경우, 의례적 행위에서는 이것을 '신성한 행위'라 부른다. 이 두가지 외에 신경 장애의 주요 내용물은 금제와 상실이다. 이것은 곧 '어떤 일을 해야 한다는 것'과 '어떤 일은 해서는 안된다는 것'을 말한다.

신경증적 행위가 종교 의례에 비해 사소하고 사적이긴 해도 그렇다 해도 공통점을 더 많이 내포하고 그래서 강박신경증은 반은 희극적이고 반은 비극적인 '사적인 종교의 서툰 흉내'를 내는 것이다. 이런 강박행위가 병인지의 여부를 판단하는 것은 그 행위 주체자가 그 의미를 알고 하느냐 아니냐에 달려 있다.

이런 동기를 찾아내고 의식하는 일을 위해 정신분석이 필요하다. 그리고는 강박행위는 무의식적 동기와 무의식적 사고를 반영한다면서, 평범한 신앙인들 역시 그 의미를 모른채 의례적 행위를 하면서 살아간다고 말했다.

그러면서 프로이트는 죄의식을 말했는데 , 강박과 금제의 고통을 받는 강박신경증 환자들은 죄의식이 무엇인지도 모르면서 일종의 죄의식에 사로잡혀있다고 지적했다. 여기에, 잠복해있던 가상적 불안, 불행에 대한 예감이 수반되며, 이것은 죄에 상응하는 벌에 대한 예감으로 발전한다. 이런 맥락에서 의례적 행동은 방어행위, 대비책으로 시작된다. 강박신경증에서의 죄의식과 흡사한 것을 프로이트는 종교인들의 죄의식, 즉, 자기들은 용서받을 수 없는 죄인이라고 생각하는 경향과 연결했다. 다시말해 기도같은 의식도 방어수단으로 본 것이다.

지그문트 프로이트 (1856-1939)

이런 강박신경증의 기저엔 '본능충동 (성적 본능의 구성 요소)의 억압'이 깔려있다. 이것은 어릴 때에는 겉으로 드러내도 되지만 자라나면서 억압의 대상이 된다. 이런 본능의 억압이 진행되는 과정에서 '양심성'이 생겨나고 이것은 본능이 지향하는 바와 반대되는 것을 향한다. 하지만 이것은 늘 무의식속에서 본능의 위협을 받는다.

이 억압과정이 불안을 초래하고 이 불안은 마침내 불안의 예감 형태를 취한 미래를 지배한다.

이런 맥락에서 의례적 행위는 유혹에 대한 방어수단이자 예견되는 불안에 대한 방어수단이다. 하지만 전자는 부적절하다고 여겨지기 때문에 그것을 발생시킨 상황과 거리를 두려고 하는데 그 결과 '금제'현상이 일어난다. 의례는 이 지점에서, 아직 절대적 금제에 속하지 않은 것들을 허용하는데, 교회에서 벌어지는 결혼식을 그 예로 들 수 있다. 죄악이 될 수 있는 성적 쾌락을 교회는 결혼식이라는 의례를 통해 용인하는 것이다.

그래서 종교의 형성과정도 억압, 다시 말해 특정한 본능적 충동을 단념하는 것에 그 바탕을 둔다. 물론 이런 충동이 반드시 성적 본능으로만 이루어진 것은 아니고, 종교 영역에서는, 계속되는 유혹에 뒤따르는 죄의식, 신의 징벌에 대한 공포형태의 불안 현상으로 대치되곤 한다.

그리고 종교과정에서도 심적 전이 현상이 일어나는데, 환언하면 사소한 종교관습의 사소한 의례들이 본질적인 것이 돼버리는 것이다. 이런 맥락에서 프로이트는 '강박신경증을 종교의 병리학적 내용물로 파악하고, 신경증을 개인의 종교성으로, 종교를 보편적 강박신경증으로 파악'함을 주저하지 않는다. 둘의 공통점은 역시, 본능의 체념이다. 다만, 신경증은 이 본능이 성적인 것에서 오지만 종교는 이기심에서 비롯되는 차이가 있을 뿐이다. 하지만 이러한 체념은 인류문화발전의 밑거름이 되기도 했다.

그래서 인류는 부정한 것, 사회적으로 해로운 본능을 신들에게 되돌림으로써 이를 본능의 지배로부터 자유로워지는 수단으로 삼았다. 이런 인류의 속성이 , 악행까지 포함된 속성이 고대 신들의 묘사에 무자비하게 동원되었다. 이런 부분을 엘리아데의 낙원 개념과 비교해 보는 것도 흥미로운 일이 될것이다.

지그문트 프로이트 지음, 이윤기 옮김, 『종교의 기원』, (서울: 열린책들, 2004), pp.9-21.　비교민속학회 지음,『민속과 종교』, (서울, 民俗苑, 2003), /요아임 바하 지음 ·김종서 옮김, 『비교종교학』, (서울:민음사, 1988) 외 다수.

<다언어현상과 포스트모던 디아스포라>

역사적으로 다언어 사회는 여러 방식으로 진화해왔다. 그 중 하나는 이주의 결과인데 한 언어를 사용하는 민족이 자발적으로 혹은 본의 아니게 다른 언어를 사용하는 민족의 영역으로 이동해 들어오는 경우, 예로 구소런 붕괴 후 신생독립국가들이 처한 다언어사용문제가 그렇다. 2차 대전 후 지중해 지역에서 밀어닥친 이주민들을 위한 북유럽 국가들의 다언어주의도 비슷한 맥락에서 해석되며 자발적 이민을 가장 많이 받아들인 미국은 가장 대표적 경우라 하겠다.

 다언어사회의 또 다른 형성 배경은 20세기 곳곳에서 일어난 '도시화'로서 시골에서 대도시로의 이주가 그렇고 선진국뿐 아니라 제 3 세계에서도 도시로의 이주는 마찬가지여서 수백만의 인구를 가진 많은 대도시와 집합도시 conurbations 이 생겨났고 이로 인해 복잡한 다언어 사용 환경이 조성되어 그에 따른 부작용들이 생겨났다.

정복에 의한 다언어형성도 중요한 사항인데 19세기 유럽 열강들이 제 멋대로 나눠 가진 아프리카 대륙의 어지러운 다언어실태가 그것이다. 그 결과 독립 후에도 식민지들은 언어선택에서 진통을 겪었는데 아프리카는 물론   인도, 파키스탄, 인도네시아, 싱가폴이 모두 그런 경우다.

이와는 달리 자발적 합병도 다언어환경을 조성했다. 전형적인 예가 스위스인데 프랑스어 독일어 이탈리아어 로망쉬어의 화자들이 다언어 국가를 형성하고 있고 또 다른 예는 벨기에로서 프랑스어 방언을 사용하는 왈룬인들, 네덜란드 방언을 사용하는 플레미쉬인들, 독일어 방언을 사용하는 사람들이 프랑스어/독일어 이중언어 사용 국가를 형성하고 있다.

결국 이런 것들은 다언어사회에서 특정 언어에 대한 '선택'의 문제로 집약된다. 그만큼 정치적 맥락을 띄는 것이다. 그래서 자신의 언어가 국제 혹은 국내 의사소통의 도구로, 정부 공식 언어로, 무역 및 상업용 언어로, 교육용 언어로 사용된다면 그 언어의 화자는 유리한 입장에 서게 된다. 사회적 정체성을 설정하는데 있어서 이처럼 언어의 역할은 중요한 것이다. 그래서 소수민족들의 언어를 억압하는 것은 그들의 정체성 자체를 억압하는 것이 된다.

20세기 후반의 다언어주의 형성배경은 무엇보다 세계화의 여파 속에 이루어진 대대적인 이주일 것이다. 이런 이주의 배경이 된 세계화의 개념을 먼저 보기로 한다.

세계화는 비단 20세기 후반 들어 처음 생겨난 새로운 현상이 아니다. Robertson을 비롯한 일군의 학자들은 세계화는 이미 수백년 전부터 진행돼온 것으로 정의한다. 이것은 세계화의 정의와 범위를 어떻게 파악하느냐에 달려있다 . 그래서 서양에서의 십자군 원정이나 몽고의 징기스칸의 활약도 세계화의 흐름에서 파악된다

이렇듯 세계화에 대한 정의는 다양한데 올리히 베크는 세계화의 개념을 '세계성 ′ ′세계화' '세계화주의'로 구분했다. 여기서 '세계화'는 항상 변화하는 네트워크화 과정을 의미하고 '세계성'은 테크놀로지, 미디어, 아이디어, 교통, 시장, 그리고 금융을 통해 서로 연계된 세계의 현재 상태를 의미하며, '세계화주의'는 신자유주의 이데올로기와 실천을 가리키는데 신자유주의에 따르면, 세계 시장은 전 세계 변화의 유일한 추진력이자 척도이며, 세계화의 여타 모든 차원들, 특히 정치적 차원을 규정짓는 것이라 보았다.

결국 세계화는 신자유주의라는 탈 국경적 경제 환경을 바탕으로 보다 친밀해진 인간 사이의 망network이 매개가 돼 서로 접속하면서 영향을 주고받고 그 결과 지속적으로 '변화'해 가는 과정이며 이것이 현대적 의미

의 세계화다. 그 가운데서 기존에 인간이 갖고 있던 많은 개념들이 대치되거나 혼재하는 양상을 띠게 되었다. 결국 세계화는 개념의 거대한 뒤섞임이라 하겠고 이것은 '혼종성'으로 정의내릴 수 있다.

그것은 외적으로 평등을 내세우며 주변과 중심, 다수와 소수가 조화롭게 공존할 것을 내세우지만 내적으로는 소수의 헤게모니를 인정하고 그들에 의한 '동종화'라는 이율배반적 모순을 특징으로 한다. 이런 현상들이 바로 다문화 사회 내 소수자에 대한 억압과 구속, 남남북북의 형태로 지속되고 있는 지구촌의 빈부격차, 소수어의 억압과 사멸 같은 것들이다.

그러나 이런 본질적 동종화 과정에 저항하는 움직임들도 지구촌 곳곳에서 목격되고 있고 그 예로 '문화의 토크백 현상'이 있다.
이것은 주변이 중심에 영향을 주는 것으로서 흔히 '신흥국'을 논할 때 거론되는 아시아, 남미, 동유럽의 일부 국가들이 전통적 선진국이었던 서유럽과 북미대륙에 위협적 존재로 부각된 것을 그 예로 들 수 있는데 이렇듯 현대적 의미의 세계화는 이질적인 것들이 소수의 헤게모니에 의해 통합, 동종화 돼가면서도 동시에 세분화와 지역화가 이루어지는 '분열'의 형태를 보여주고 있다.

이런 현상을 Karl Ritter는 이미 19세기에 '인류의 운명은 민족국가의 엄격한 경계선을 따라 사는 것이 아니라 유기적으로 서로 연결된 지속적인 자연 속에서 사는 것이며 이 자연은 수많은 가늘고 중첩되고 끊어진 선들을 통해 눈에 들어온다'라고 예견하였다. 이것이 곧 오늘날의 혼종적 상황이며 문화에 적용하면 '다문화적 상황'이 되고 20세기 후반 세계화와 함께 가열된 '이주'에 기인하는 바가 크다.

이렇게 20세기 후반부터 일기 시작한 이주의 물결은 그 이전의 것과 여러 면에서 성질을 달리한다. 21세기 '이동'의 의미는 정보화와 들뢰즈의 '유목'의 개념에서도 정의되듯 단순히 육체적 물리적 이동만을 뜻하지 않는다. 상상 속에서 자유롭게 정신적 경계들을 넘나들며 '전복'을 시도하는 것까지 모두 포함한다. 그 결과 인간은 면대면 접촉보다 오히려 인터넷을 비롯한 가상공간에서의 접촉을 더 선호하는 경향을 띤다. 그만큼 인간 사이의 거리는 물리적 거리감을 초월해 인터넷이라는 가상공간에서 보다 가까워지는 양상을 보이고 있다.
이런 상황은 디지털 문명으로 불리며 기계 문명의 발달은 인간 소외와 친밀감을 동시에 불러왔다. 이렇게 가상공간을 얻게 된 '저 너머'에 대한 갈망과 욕구는 이주, 이민, 여행 등의 다양한 형태의 실질적 이동을 가져왔다. 탈식민, 탈냉전, 세계화 역시 이런 실제 이동의 견인차 역할을 하였다.

국제이주의 근본적 원인으로서 한 나라와 다른 나라 사이의 생활 수준의 차이를 들 수 있으나 그것만으로 사람들이 이주하는 것은 아니다. 국내 상황의 갑작스런 변화나 보다 나은 삶에 대한 욕구, 그리고 세계화가 불러온 고정되었던 지역사회의 흔들림 등이 복합적으로 작용해 이주를 유발시킨다.

정치적 요인으로는 세계화와 함께 국민국가 nation-state의 힘이 약해진 것을 들 수 있다. 이런 적절한 예는 구공산권 국가 중 일부 국가들이 붕괴하면서 일어났고 그로서 구소련 국가들 사이의 이주, 나아가 전 세계적 이주를 가속화시켰다. 그러나 세계화가 가열되면서 국민국가의 존재는 다시 견고해졌고 세계화의 정도를 판가름하는 기준이 되고 있다.

그리고 이런 다언어상황을 가열시킨 또 다른 주요 원인은 영어 중심으로 진행될 것처럼 보이던 인터넷이나 위성방송들의 다국어 사이트나 방송들이라 하겠다. CBS는 브라질 시청자들을 위해 포르투갈어 방송을, 홍콩의 스타TV나 CNN 국제방송은 지역 시청자를 위해 영어 이외 언어 방송을 시작하였다. CNN은 남미 지역을 향해서 24시간 스페인어 뉴스를 내보내고 있고 힌디어 방송도 계획 중이다. 스타 TV 역시 표준 중국어와 힌디어로 방송을 하고 있다. 이렇게 해서 영어 이외의 언어들은 그 세력 범위를 확대하게 되고, 주요 방송들은 방송 서비스를 지역화해 나가고 있다.

이런 가운데 '디아스포라'의 개념도 상당한 변모를 거치는데 1990년대에 들어서면서 디아스포라는 인류 전반의 국제이주, 망명, 난민, 이주노동자, 민족공동체, 문화적 차이, 정체성 등을 아우르는 포괄적 개념으로 확장되었다. '국외로 추방된 소수 집단 공동체'로 정의되기도 하는데 이런 디아스포라의 조건은 대략, '특정 기원지로부터 외국의 주변적 장소로의 이동, 모국에 대한 집합적 기억, 거주국 사회에 수용될 수 없다는 절망감에서 비롯된 소외와 격리, 모국으로의 회귀 욕구, 모국과의 지속적 관계유지 '까지를 포함한다.

그러나, 현대 미국의 유대인들의 경우를 보더라도, 그들은 완전히 미국 사회에 동화돼 더 이상 고국으로의 회귀라는 고전적 의미의 디아스포라 양상은 보이지 않는다.

그래서 최근 연구에서는 모국으로 귀환하려는 희망을 포기했거나 처음부터 그런 생각을 하지 않았던 다양한 형태의 이주민 집단까지 포함해 디아스포라라고 칭한다.

이렇듯 21세기 디아스포라는 단순히 '이주민'이나 '망명인'의 차원을 넘어 공동체, 문화, 정체성, 외국에서의 적응, 동화과정 등의 제 현상을 이르는 용어가 되었고, 머지않아, 한곳에 정착해 살면서도 늘 어딘가로의 이주를 꿈꾸는 심리나 정서 상태까지 포괄하는 다분히 포스트모던적 개념으로 발전할 수 있다.

디아스포라

동화적 다문화주의를 살펴보면, 위에서 언급한 다양한 경로의 '이주'와 '이동'으로 말미암아 21세기는 전 지구적 다문화시대를 맞았다. 다문화주의는 다양한 문화나 가치, 다양한 민족 집단과 이들의 개별적인 언어와

습관들을 그대로 하나의 국가체제 속에 공존시키는 사상과 제도를 뜻한다. 즉 이민족이나 외국인들에 대해 적극적으로 포용하는 입장을 말하는데 이런 개념은 1990년대 초에 미국 사회에서 처음으로 등장하였다.

이런 다문화주의 정신은 유네스코 '문화다양성선언문 UNESCO Universal Declaration on Cultural Diversity'에 명시돼 있는데, 문화다양성과 다언어주의를 '관용'의 정신으로 수용해야 한다는 규정이 그것이다. 즉 '문화는 시공간을 초월하여 다양하게 생겨남을 인정하고 이런 문화다양성은 인류발전에 근원임을 명시하고 문화다원적 배경을 가진 사람들과의 조화로운 공존을 규정하며 이것이 곧 문화다양성과 민주주의를 규정짓는 잣대'라 보고 있다. 이것은 소수민족이나 원주민의 권리를 보장하고 보호해야 할 의무가 있음을 규정하는 것이고, 다언어에 관해서는 '자신이 선택한 언어로, 특히 모국어로, 자신의 작품을 창조하고 보급할 자유가 있으며 그것을 위해 교육과 훈련을 받을 권리, 인권과 기본 자유를 보장받을 권리가 있음'을 명시함으로써 다언어 권리를 '인권'과 연결 짓고 있다.

또한 이 헌장은 다언어 교육을 세계화 시대에 적합한 다문화 교육의 초석으로 보고 있다. 그래서 언어에 관한 세부사항으로 '인류의 언어유산을 보호하고 다양한 언어의 표현, 창조, 보급을 지원하며, 다언어교육을 장려하고 유년기부터 이런 환경을 마련해주며 이와 함께 문화다양성에 관한 교육을 실시할 것'을 명시하고 있어 다문화와 다언어교육은 세계화 시대 절대적 요소임을 강조하고 있다.

다언어주의 배경이 된 다문화주의 multiculturalism은 문화다원주의와 비교되는데 두 개념은 서로간의 다양성을 인정하고 사회통합을 추구하는 것은 같지만 실천방법에서는 조금 다른 면이 있다.
다문화주의는 1970년대 후반 새로운 형태의 문화다원주의를 설명하기 위한 개념으로 정리되었다. 원래는 교육 분야에서 시작되었지만 현재는 사회생활 전반에서 다원적 견해와 소수의 권리를 보장하기 위한 논리로 적용되고 있다. 문화의 보편성이나 생활양식의 동일성을 추구하지 않고 다양성과 차이를 인정한다는 면에서 이 다문화주의는 포스트모더니즘의 특징을 거의 드러내고 있다.

문화다원주의(cultural pluralism)는 20세기 후반 대량으로 발생한 이민정책으로 미국에서 시작된 것으로 소수가 존중되는 것은 바람직하지만, 그렇다고 해서 분리나 격리를 전제로 해서는 안 된다는 것이다. 문화의 다원성 및 다양성을 인정하면서도 거기에는 주류core가 존재한다는 것을 전제로 한다. 이에 대해 다문화주의는 주류의 존재를 인정하지 않고 다양한 문화가 평등하게 인정되어야 한다는 차이점을 갖는다.

그러나 어떤 형태의 다문화주의든 그 속엔 늘 주류가
존재한다. 이것은 언어에도 해당돼서 다언어를 육성하
는 정책 이면엔 언제나 특정계층의 언어를 표준어로
혹은 공용어로 인정하려는 시도가 있다. 그러므로, 여
기서의 통상 다문화주의라 할 때는 문화다원주의에 가
까운 개념이고 그것은 '동화적 다문화주의'로 환언될
수 있다.

Cross, Malcolm and Moore , Robert. (ed.), Globalization
and the New City-Migrants, Minorities and Urban
Transformations in Comparative Perspective. NY :
Palgrave. 2002.
Edwards, John.   Multilingualsim. London and NY:
Routledge. 1994.
H, Karim, Karim (ed.), The Media of Diaspora, London
and New York: Routledge. 2003.
J, Cannato. Vincent. The Ungovernable city . NY:Basic
Books. 2001.
Joppke, Christian and Morawska, Ewa . (ed.), Toward
Assimilation and Citizenship: Immigrants in Liberal
Nation-States. NY : Palgrave Mcmillan. 2003. 외 다수

<세계의 축제>

포스트모던 시대에 접어들면서 일상과 축제의 구별은 점차 사라지고 있다. 모든 일상이 축제적 성격을 띄며 그것은 또한 놀이와 쉽게 구별되지 않는다. 이것은 곧 형식과 권위에 대항하는 현대인의 저항을 의미하기도 한다.

그러나 엄밀히 본다면 축제와 일상은 분명 구별되는 면이 있다. 인간은 나날의 지루함과 불안감을 난장과 놀이의 장인 축제를 통해 발산하고자 한다.

그렇듯 축제는 일상으로부터의 탈출하려는 인간의 욕구가 반영된 도피적 개념이자 생산적인 일상을 연출해내기 위한 재충전의 시간으로 정의되기도 한다.

축제에 대한 개념과 정의는 실로 다양하며, 점점 이벤트화돼가면서 상업성에 물들어가는 오늘날의 축제에 대해 비판적인 입장도 적지 않다. 그러나 축제를 포함한 모든 문화는 시간과 함께 변화하는 것이다. 상업화되면서 다듬어지는 면이 있고 정체성과 세계화의 흐름 속에서 조화를 이루고자 갈등하는 모습을 보인다.

축제의 개념을 보면, 인류학에서 정의되는 축제는 흔히 종교현상의 하나로서 또는 상징적 행위로 정의돼 왔다.

축제는 인간의 기본적 속성의 흐름을 차단하는 것을 파괴하는 것에서 출발하는데, 기득권과 불평등, 억압과 갈등, 어두움과 모호함을 걷어내고자 하는 욕망에서 비롯된다. 그래서 축제 속에서 인간은 끝없이 파괴를 되풀이하며 그러면서 세속적 허울과 위선에 맞선다. 이런 세속적 현상을 감출 수단으로 가면이나 변장을 한다.

축제의 한자어 祝祭가 보여주듯, 이것은 성스러운 종교적 제의에서 출발했다. 한국의 고대 축제인 제천의례, 마야인의 신년의례, 페루의 태양제 등이 모두 여기에 속한다. 이런 면은 축제로 하여금 사회 통합력을 갖게 한다. 축제festival가 성일聖日을 뜻하는 festivalis라는 라틴어에서 유래됐음도 이같은 주장을 뒷받침한다.

네덜란드의 역사학자 호이징가는 『호모 루덴스 homo ludens』에서 인간의 유희적 본성이 문화적으로 표현된 것을 축제라 정의했다. 놀이는 비일상적, 비생산적인 것이지만 일상과 생산을 위해 필요한 것이라 보았다. 이 견해를 발전시켜 미국의 신학자 하비 콕스는 『바보들의 축제』에서 인간은 본질적으로 '사고하는 인간'이면서 '놀이하는 인간, 축제하는 인간, 환상적인 인간'이라 정의하면서 축제의 판타지성을 언급한다. 그러면서 축제는 '억압되고 간과되었던 감정표현이 사회적으로 허용된 기회'이거나 또는 '인간 일상의 이성적 사고와

축제의 감성적 욕망 사이를 넘나들면서 경험과 인식의 지평을 확대하고 그로서 문화의 발달을 가져오는 것'이라 보았다.

역사학에서 보는 축제는 크게 두가지로 나뉘는데 뒤르켐적 모델과 프로이드적 모델이 그것이다.

뒤르켐은 종교를 개인적이고 신비적인 것이 아니라 '사회적 사실'로 보면서 축제를 '사회적 통합을 위해 기능하는 일종의 종교적 형태'로 규정한다. 그에게 축제란 제의rite라고 할 수 있다.

그에 반해 프로이트는 축제를 공정성과 즉흥성, 디오니소스적 부정과 인간 본능을 억압하는 것의 폐기, 해방을 향한 문화로 보았다. 그에게 축제는 통합과 질서의 유지라는 뒤르켐의 견해와 반대되는 '금기의 위반, 과도함과 난장'인 것이다. 즉, 축제는 격식을 갖춘 금기의 파괴이며, 난장은 그 본질이라고 보았다. 이런 견해는 축제의 전도적 성격과 관계 있는데, 바흐친이 그 적절한 예라 할 수 있다.

바흐친은 프로이트의 이론을 계승하여 축제와 민중문화의 연관성을 밝혔다. 그는 카니발에서 보이는 전도적, 비일상적 성격을 축제의 가장 기본적 성격으로 지적했다. 축제는 일상생활의 '단절', 즉 하나의 의례적 상황이며 초자연적 존재에 대한 의식이 치러지는 신성하고 종교적인 순간과 장소가 된다.

미하일 바흐친 1895-1975

현재 세계 축제의 흐름은 국가단위에서 소지역적으로 축소돼가는 경향을 보인다. 축제를 주최하는 집단들이 소규모로 나누어지고 있음을 뜻한다. 정치, 경제적으로 안정기이거나 반대로 지극히 불안할 때 축제를 내세우곤 한다. 물론 이것은 한 집단의 정체성을 표현하고 공동 구성원을 결집시키는 가장 효율적 기제로서의 축제의 측면을 이용한 것이다.

PC와 인터넷, 가상현실의 현대에서 , 공동의 구성력을 의미하는 축제는 소멸될 것이라고 생각되지만 오늘날의 현상은 오히려 이 반대적 상황을 보여준다. 개인적 생활의 비중이 커지면서 타자의 삶에 대한 관심 역시 증폭된 것이다.

이런 욕구는 새로운 볼거리를 추구하는 행위로 나타나고 그것이 바로 현재의 '볼거리로서의 축제'의 근간이 되기도 한다. 축제적 연희자 (연기자)와 관람자(관객)는 분리되는데 우리의 강릉 단오제가 그렇다.

강릉 단오제는 지역적 기반에서 이루어지지만 본래의 난장적 축제의 성격은 약화되고 상업적 성격이 부각되고 있다. 민속적 축제가 그 본래의 성격을 순수하게 유지하기 위해서는 지역민들에 의해 직접 조직, 준비돼야하는데 한국에서는 그런 의미의 순수한 축제들은 이제거의 찾아볼 수 없다.

그러나 아직도 전통적인 문화적 요소가 지역민의 삶에 중요한 영향을 미치고 있는 유럽 사회에서는 축제가 비교적 과거의 순수한 형태의 모습을 그대로 간직하면서 지역주민들의 적극적인 참여에 의해서 매년 성대하게 연희되고 있다.

지방분권적 체제의 독일에서는 물론이고 전형적인 중앙집권적인 프랑스에서조차 각 지방의 고유한 역사와 문화적 특색을 강조한 축제들이 다양하게 펼쳐진다.

참고로 미개인들의 적에 대한 터부를 살펴보면 축제의 숨겨진 의미를 더 잘 이해할 수 있다. 그것은, 참살당한 적에 대한 진혼, 참살자에 대한 구속적 제한, 자발적인 속죄와 재계, 그 외 몇가지 의식의 집행 등으로 이루어진다.

티모르 섬 사람들은 ʹ진혼제ʻ를 지낸다. 원정에서 패배한 적의 머리를 들고 개선할 때 원정대원들과 마찬가지로 원정 지휘자는 엄격한 구속적 제한을 받는다.

원정대는 개선하는 즉시 제물을 차려놓고 목을 잃은 적들의 영혼을 위로한다. 그렇게 하지 않으면 승자들에게 재앙이 온다고 믿는다. 춤과 노래로 이루어지는 진혼제에서 사람들은 참살당한 적의 죽음을 애통해하면서 용서를 빈다.

그런가하면 자기들 손에 죽음을 당한 적을 수호자, 친구, 후원자로 탈바꿈시키는 종족도 있다. 그들은 잘린 적의 머리를 정중하게 모신다. 외부에서는 이런것들이 축제로 보여진다.

a.카니발

전통적 의미의 카니발은 기존의 기독교적 권위에 저항하는 의례적 통로 역할과 함께 당시의 절대적인 기독교 권위를 더욱 공고히 하는 도구이기도 하였다. 민중들은 카니발을 통해 억압된 욕구를 발산하고 다시 규범적인 엄격한 사회 속으로 돌아가 자신의 삶을 이어나갔다.

현재 세계적으로 알려진 카니발로는 리오 카니발이 있다. 계절적으로 여름에 열리고 그만큼 축제의 난장적 요소가 두드러진다. 그 유래는 고대 로마와 그리스의 이교도들의 의식에서 시작되었고 브라질에는 19세기에 도입되었다. 모든 기독교적 억압에서 해방되는 자유로움의 추구가 지나쳐 광란에 가까운 춤판, 퍼레이드, 과감한 신체노출, 음주, 폭력, 때로는 살인까지 벌어지는 이 카니발은 무엇보다도 삼바춤 퍼레이드로 유명하다. 그것이 현재와 같은 형태로 굳어진 것은 1980년대 초반이었다. 개인의 자유로운 기쁨의 발산으로서의 춤이 집단으로 결합되어 통일성과 규칙성이 축제에 부가된 것이다.

또다른 유명한 카니발로 베니스 카니발이 있다. 현재는 종교적 의미를 거의 상실한 채 일종의 문화관광 축제로 존재하지만, 축제가 벌어지는 시기만은 사육제 시기로 고정돼있다. 베니스 카니발은 종교성 보다는 베니스 시의 경제적 발전 상황과 더 밀접한 관련을 가지고 있다. 12~13세기 베니스는 매우 융성했고 이런 상황은 특히 16세기 터키와의 전쟁에서 이긴 다음 절정에 달한다. 그때부터 베니스는 '카니발의 도시'로 불리면서 매년 카니발이 열렸다. 그와 함께 수많은 연극도 행해졌다. 가면축제의 기원은, 1776년으로 거슬러 올라가는데, 여성들이 연극을 보러 갈 때는 반드시 가면을 쓰고 망토를 입어야 한다는 법령이 정해진 것이 그때였다.

b.지역공동체 단위의 축제

대표적인 것으로 프랑스 남부 프로방스 지역의 '성인 엘로아 축제'와 '마들렌느 축제'등의 이름으로 불리는 '수레축제'가 그것이다. 15세기부터 연희되었다는 기록이 남아있는 '성인 엘로아 축제'는 말과 귀금속 직능인들의 수호성인이었던 엘로아 성인을 중심으로 프랑스의 카톨릭과 거대 밀 경작 지주들, 정치적 우파 사람들, 보수주의자들을 결집시키고 그들의 정체성을 상징하는 축제로 전해 내려왔으며, 최근에는 프로방스 지역의 전통, 민속, 역사 등의 요소가 가미되었다.

이에 비해 '마들렌느 축제'는 19세기 말엽부터 프랑스 공화정과 사회주의, 공산주의, 정치적 좌파를 상징하며, 야채 과일 소작농들을 중심으로 행해졌다. 6월말에서 9월초까지 전 지대 프로방스의 여러 마을에서 '수레축제'라는 이름으로 불리우는 이 축제들에서는 과거의 카톨릭적 종교 전통과 농경 생활, 말과 황소와 인간의 관계, 왕의 권위와 프랑스 혁명, 좌파와 우파의 정치적 분쟁, 밀 중심의 건조작물 재배에서 야채, 과일의 경작 체계로 바뀐 경제체계의 변화 등이 함축돼있다.

독일 뮌헨의 '맥주축제'는 지역적 특성을 잘 보여주면서도 관광 효과 또한 뛰어난 축제로 평가받는다. 1810년 바이에른 왕국에서 거행되었던 루트비히 황태자와 테레제 공주의 성대한 결혼식을 축하하는 경마대회로부터 유래되었다. 축제가 벌어지는 동안 시 중앙에는 만 명도 충분히 들어가는 텐트가 쳐지고, 시 인구의 5배가 넘는 사람들로 북적된다.

c.스펙터클

관광과 여가 향유가 주 목적인 축제들이 있다. 우선 스코틀랜드 에딘버러 축제를 들수 있다. 흔히 '유럽의 꽃'이라 불리는 축제로, 에딘버러 시는 일년 내내 축제가 끊이지 않으며 특히 8월에 절정에 이른다. 이때가 에딘버러 페스티발이라고 불리는 시기면서 에딘버러 시 전역에 걸쳐 연극, 무용, 오페라, 전시회, 오케스트라, 퍼포먼스, 거리 공연 등의 다양한 장르의 공연과 전시가 펼쳐진다.

에딘버러 축제

이 축제는 1947년에 시작됐다. 이 축제가 널리 알려진 것은 사이드 공연이었던 Fringe공연 덕분이었다. 이것은 자발적인 소규모 단체들의 공연에서 시작됐는데 공연에 대해서 어떤 예술적 심사도 하지 않는 것을 원칙으로 한다. 그래서 밴드의 공연, 코미디, 바디 페인팅같은 길거리 퍼포먼스 등 다양한 장르의 공연이 시 여기저기서 자유롭게 펼쳐친다. 어떠한 제한도 없으므로, 신선하고 훌륭한 작품을 만날 수 있다. 이런 사례는 의도적으로 창출됐던 축제가 (본래 이 축제는 축제를 통한 지역 개발이 직접적 동기) 어떻게 그 지역의 고유한 것으로 인식되는가 하는 사례를 잘 보여준다.

이와 유사한 예로 프랑스 아비뇽 축제가 있다. 아비뇽 연극제는 2차대전 직후 (1947) 수도인 파리에 집중된 예술과 문화를 지방으로 분산함으로써 보다 많은 대중들이 수준 높은 문화를 생활 속에서 향유할 수 있는 기반을 마련하고자 하는 욕구에서 시작되었다. 대전후의 무력감과 절망감을 극복하기 위한 심리에서 발현되었는데. 현재 아비뇽 축제는 두가지로 대별된다. 하나는 공식적으로 초창한 극단들의 공연 festival in과 개별집단들의 자유로운 참여로 기발한 창의성이 강조되는 공연 festival off 이 그것이다. 전자는 프랑스 정부와 여러 문화단체의 공식적인 지원을 받아 제작된 것이거나, 주최 측의 심사결과 선정되어 초청된 작품을 교황청 안뜰에서 공연하는 것으로 예술성과 작품성을 공히 인정받은 작품들이다. 후자는 보통 500여개의 공연단이 장소와 시간을 아비뇽시에 미리 예약만 하면 공연이 가능한데 주로 교황청 앞 광장을 중심으로 공연된다.

아비뇽 축제의 축제적 의미는 바로 이 festival off에 의해 구축된다. 이 off 공연은 1960년대 말부터 본격화되었는데 당시의 시대 상황이 기반이 되었다.

당시 프랑스 국민들은 드골 정부가 사회 개혁에 소홀한 것에 불만을 갖고 1968년 학생운동과 노동자 총파업 투쟁으로 그것을 표현했다. 이로 인해 아비뇽 연극축제의 총책임자인 빌라르가 연극의 문화적 역할과 사회적 역할이라는 이중의 역할을 조화롭게 제대로 수행하지 못한다고 비난받았다.

이에 자극을 받아 모든 극단에게 문화를 개방한 off공연이 본격적으로 도입되었다. 대신 off공연은 주최측으로부터 어떤 경비도 지원받지 않는다. off 공연 장르는 실로 다양해서 일인극이나 대형공연, 마임, 춤, 인형극, 서커스 등 무대 예술과 관계된 것이면 어떤 것이나 가능하다.

이런 아비뇽 축제 같은 사례들은 과거의 전통적, 역사적 사실과 민속적 요소들이 적절히 가미되어 관람을 위한 일종의 '스펙터클적'축제가 된 것이다 참여보다는 관람을 주목적으로 하는 축제라는 뜻이다.

d. 패러디

'초록의 섬'으로 불리우는 아일랜드에는 '성 패트릭의

날 St. Patrick's Day'이 있다. 아일랜드는 카톨릭 국가답게 수많은 성인들의 축일이 있다. 그리고 이것은 대부분 퍼레이드 형식으로 펼쳐진다. 아일랜드인들은 자신들의 성인을 경배하기 위해 맨발에 중세적 행렬을 기꺼이 행한다. 그리고 이런 축제일들은 공식적 휴일보다 훨씬 소중하게 여겨진다.

성 패트릭 축제

성 패트릭의 날이 휴무일에 포함되고 국경일로 승격된 것은 1903년이었다. 교회에서는 433년 이 섬나라 원주민들을 기독교로 개종시켰다는 전설의 '아일랜드인들의 사도' 성 패트릭을 일찍부터 추앙해왔다. 그러다 12세기에 성 패트릭 축제는 사흘에 걸쳐 연희되어서 다른 어떤 성인 축일보다 화려해졌다. 그 후 시간이 흐르면서 종교적 측면보다는 세속적 면이 부각되고 있다. 이날은 신분의 귀천을 막론하고 녹색 띠와 천으로 치장하고 술을 마신다. 이날 취주 악단의 행렬이 처음 시작된 곳은 18~19세기 아일랜드 여러 도시들에서였다. 또한 이날의 행렬은 아일랜드에 국한되지 않고 미국, 캐나다, 호주, 카리브해 몬트세라트 등 아일랜드 이민자들이 정착한 곳이면 어디서나 펼쳐진다.

특히 몬트세라트의 성 패트릭의날 축제는 아일랜드에서 추방당한 사람들과 흑인 노예의 후손인 '검은 아일랜드인들'이 영국계 아일랜드인 지주들에 항거한 1768년 3월 17일 (노예들의)봉기를 기념하기 위한 것이었다.

미국, 특히 뉴욕과 보스턴, 필라델피아에서의 호화로운 행렬은 21세기에 들어 역으로 본토인들에게 영향을 미쳤다.

수많은 인파가 찾는 아일랜드 최대의 더블린 성 패트릭의 날 행렬은 바로 1970년대 초 아일랜드의 해외 교류처가 미국의 퍼레이드를 본떠서 만든 것이다. 최근 들어 이 퍼레이드에서, 아일랜드 최초의 정식 주교가 패러디의 대상이 되었다.

이렇듯 성 패트릭의 날은 반은 카니발이고 반은 서커스처럼 보인다. 이 날은 더블린 시내가 온통 초록 물결을 이루고 심지어 관람객들의 머리색까지 초록으로 물든다. 너나없이 '토끼풀'을 들고 다니고 몇 군데 분수에서는 초록색 물이 뿜어져 나온다. 심지어 초록색 맥주를 파는 술집들도 있다.

e. 신화

아시아의 몽골 축제를 보면, 보통 신화에서 유래하는 경우가 많은데 신화는 물론 한 민족의 정신적 소산물이다. 또한 군집사상의 응결체라 할 수 있다. 그것은 인접 신화와 대비되기도 한다. 그리고 축제는 신화를 동반할 때 더욱 흥이 난다.

e-1. 몽골 나담축제

신화가 부재한 축제는 원형축제 proto-festival가 아닌 모조축제 fake-festival에 불과하다 . 몽골축제 가운데 나담 축제는 원형축제의 대표적 예이다. 사집 史集에 의하면 징기스칸이 출생하기 훨씬 전, 북방에는 몽골 부락과 돌궐부락이 있었다. 두 부족의 싸움 끝에 몽골족은 남자 두 사람과 여자 두사람만 남고 모두 죽었다. 그들은 깊은 '얼구네쿤 산'에 들어갔다. 이 산은 모두 절벽이고 나무도 많고 작은 오솔길 하나만 있는 지형이었다. 남녀 네 사람은 서로 혼례를 하여 부부지간이 되었으며 몽골의 후손들은 이 네사람으로부터 시작된다는 것이 이야기의 핵심이다.

예로부터 몽골인들은 씨름, 말타기, 활쏘기, 칼쏘기에
능했다. 그들은 이렇게 무武를 숭상하는 민족이다. 몽
골 씨름은 경기장이 따로 없다. 맨땅도 좋고 초원이어
도 좋다. 씨름선수를 파역심이라 부르는데 건강하고 체
격이 우람한 용사라는 뜻이다. 예전엔 자기가 만든 씨
름복을 입었지만 요즘은 공용 씨름복이 나왔다.
두 팔만을 덮은 상의를 '쪼덕'이라 부르는데 가죽으로
만들었고 꽃무늬로 수놓았고 어깨가 두툼하다. 등 부분
은 무늬가 많고 입으면 갑옷을 입은 것처럼 당당해 보
인다. 하의는 '쇼닥'이라는 펑퍼짐한 것으로 바깥에는
꽃이나 구름 무늬의 길상 무늬를 수놓아 화려하고 현
란하다. 그 밖에도 씨름선수들은 다양한 치장을 한다.
 몽골족의 씨름은 등급을 가리지 않고 최후의 우승, 준
우승까지 가려낸다. 나담 축제에는 매년 512명의 씨름
선수가 참가해 경기를 벌이는데 토너먼트 형식으로 경
기를 진행한다. 모두 9회전을 거친 뒤에 우승자가 가려
진다. 나담 축제 중 씨름 대회 입상자에게는 명예로운
칭호가 주어지는데, 우승자는 '아루스탄 (사자)', 준 우
승자는 '잔 (코끼리)', 3위는 '나친(매)'라 부른다. 또한
두 번 이상 우승하면 '거인' 세 번 이상 우승하면 '대
거인' 네 번 이상 우승하면 '무적 대거인'이라는 칭호

를 얻는다. 몽골 씨름에서 흥미로운 점은 승부가 결정날 때이다. 승부가 결정되면 승자는 후견인으로부터 모자를 받아 쓰고 패자는 조끼 끈을 풀어 승자가 벌리고 있는 팔 밑으로 한바퀴 돌아 동물처럼 복종의 표시를 한다.

이처럼 몽골 씨름은 예의를 지키고 음악과 무용이 곁들인 예술적 국기라는 점에서 우리의 씨름과 다르다. 몽골 씨름은 원시적인 인상이 짙은 신화적 민속놀이라 할수 있다.

그밖에 몽골 축제에선 말 달리기도 중요한데 그 기원은 3000년이나 된다. 흉노족이 초원을 찾았을 때부터라고 한다. 몽골족의 경마에는 달리기 시합인 주마(走馬:말 위에 앉지않고 서서 달리기)라는 말 다루기 기예 겨룸이 있다. 그밖에, 칼 던지기, 활쏘기, 바둑도 흥미로운 몽골의 민속놀이며 모두 전쟁과 관련 있다

이상 살펴본 것처럼 지하치신은 말달리기에, 징기스칸 신화는 씨름경기에, 야철요산 신화는 칼 던지기나 활쏘기 경기에 잘 용해돼있다.

e-2. 일본 아이누족 곰제의

일본 아이누족의 축제가 대표적인데 아이누족은 소수에 불과하다. 그들의 축제 중 곰 축제는 매우 유명하

다. 그런데 이런 곰 제의는 지구 전 북반구에 걸쳐있다고 해도 무방하다. 하지만 지역에 따라 형식과 내용은 물론 다르다. 곰 제의를 거론할 때 주의할 것은, 이들의 영혼관과 조상숭배가 밀접하게 연관돼있는 종교적 측면이다. 이것은 종교적 제의 형태와 내용이 다른 그 어떤 동물보다 곰신화와 곰 설화에 잘 나타나기있기 때문이다.

곰축제는 bear ceremony로 불리운다. 이 ceremony라는 말은 fest라는 말과는 구별된다. ceremony라는 말은 '제의'의 성격을 갖는다. 축제의 본래적 성격인 종교적 의미가 아직도 남아있는 경우 보통 이 ceremony 혹은 rite, ritual 의 표현을 사용한다.

아이누족의 곰제의 관련 신화는 그 신화 속에 지하여행 모티브를 갖는다. 이 모티브는 시베리아 샤머니즘에서 많이 발견된다. 그러나 여기서의 지하 여행은 샤먼의 새로운 탄생을 위한 일종의 제의이자 무병의 과정이 아니다. 이것은 아이누인들이 민간 신앙의 형태로 갖고 있는 곰 숭배 사상과 연결시켜야 한다

요약하면, 곰을 잡으러 곰을 따라 지하세계로 들어가 결국에는 그곳의 지하세계 여인과 결혼하게 된다는 내

용인데 이는 주인공이 곰 사냥을 하다가 죽게 되고 다시 곰의 세계로 들어감을 뜻한다. 그러므로 이 결혼은 죽음을 의미한다. 이 신화에서 곰과 인간의 애정 관계는 매우 중요한데, 이런 애정론은 북반구 지역에 아주 넓게 퍼진 모티브이다.

곰제의를 치르려면 누구든 어린 곰을 집에서 길러야 한다. 어린곰이 성장을 하여 젖만으로 식량이 안될 때는 음식을 입으로 잘게 씹어 준다. 그 후엔 곡식과 연한 잡풀을 섞어준다. 곰이 각 가정에서 하나의 친척으로 인정되기는 하지만 보통 기둥에 묶여있다. 외출할 때도 곰은 줄에 매어진다.

그러다 곰이 충분치 커지면, 우리 안에 가두어진다. 어린 곰은 약 3~4년동안 길러진다. 곰을 키우는 것은 이들에게 행운을 가져다주며 액운과 질병을 막아주며 마을을 보호해주는 것으로 생각된다. 곰이 적당히 성장하면 제의를 치를 적절한 날짜를 받는다. 날짜는 주로 겨울, 즉 1월에 잡는데 가끔 3,4월에도 행사를 치른다. 이 축제기간은 보통 1,2주일 동안 연희되고 여러 집이 연쇄적으로 축제를 벌인다. 축제가 벌어지는 순서는 대개 각 부족장의 곰을 희생시키면서 시작되는데, 그 다음은 부족내 연장자 순으로 진행된다.

그밖에, 곰이 다시 환생하길 기원하는 뜻으로 대나무 잎으로 된 장식을 집안 성역에 장식한다. 그리고 활과 화살, 화살통, 칼도 준비되는데 만약 곰이 암컷이면 반지와 끈을 따로 준비한다.

곰제의 첫날, 한 남자가 곰 우리의 위로 올라간다. 곰을 묶기 시작하고, 곰이 끌려나오면 손님 중 용감한 이가 나와서 곰을 더 단단히 묶는다.

여기서, 이웃 길리약 족은 더 재밌는 과정을 거치는데 묶인 곰을 데리고 집집을 방문한다. 사람들은 곰과 온갖 장난을 한다. 그러면서 마을은 축제 분위기가 된다. 그러면서 사람들은 곰에게 축제의 모든 것을 상세하게 설명한다. 그리고 곰을 아주 조심스럽게 다룰것 (죽일 것을)을 약속한다.

곰은 드디어 살해장으로 인도된다. 두 기둥 사이에 묶이고 곰 축제의 제장이 등장해서 활을 쏜다. 한번에 이 곰을 죽이지 못하고 다른 사람이 쏜 활에 곰이 죽어도, 이 제장이 죽인 것으로 간주된다. 죽은 곰은 두 개의 나무 받침대가 있는 곳으로 옮겨진다. 여성들은 통곡하며 남자들을 때리고 소리 내며 운다. 그러면서 춤을 추기 시작한다.

아이누족 곰제의

둘째날, 곰은 다시 살해장이자 제의장인 그 전날의 장
소로 옮겨진다. 죽은 곰에게 한잔의 술이 권해진다. 사
람들은 엄숙해지고 이어서 곰은 해체된다. 곰의 영혼을
위한 주문같은 노래가 불려진다. 살해된 곰 영혼에게
부탁하기를, 곰 세계로 가서 잠시 쉬다가 다시 인간 세
계로 내려와 만나자는 내용이다. 이는 곰의 영혼을 달
래는 의미도 있지만, 다시 곰을 잡게 해서 곰 제의를
치를수 있게 해달라는 순조로운 삶의 순환에 대한 기
원이 담겨있다.

셋째날이 절정인데 , 곰고기 먹기 (음복)과 곰머리 제
의가 행해진다. 곰고기를 먹을 때도 이들은 계속해서
곰 영혼을 혼란스럽게 하는 속임수를 쓰는데, 까마귀

흉내를 내기 위해 '쿡쿡' 소리를 내며 고기를 먹는 것이다. 특별히 제작된 곰 제의 용 특별 집기 도구가 사용된다. 그것들은 각 부족의 곰 신화가 가지고 있는 내용을 말해준다.

음식을 다 먹은 뒤 사람들은 여러 놀이를 하게 된다. 죽은 곰은 집안의 성역에 안치되고 온갖 치장을 하게 된다. 죽은 곰이 암컷이면 반지와 끈으로 머리를 특별한 모양으로 장식해주고 수컷이면 칼을 선물한다. 곰의 앞에는 음식으로 가득찬 그릇들이 놓여지고 온갖 위로의 말이 늘어진다. 그들은 이 말을 산신인 곰이 듣고 있다고 생각한다.

아이누족 곰축제는 살해장과 제의장을 다양하게 장식한다는 자체가 공간의 초월성을 말해준다. 그리고 곰 제의는 제의 기간 내내 곰 신과 인간이 동행하는데 이것은 이 현실에 곰의 세계를 잠시 건설하고 그 안에서 인간들이 신계의 생활을 영위함을 말한다.

그런식으로 트랜스의 경지에 빠져보는 것이다. 즉 곰 제의는 황홀경 외에 일상의 활기를 위해서도 행해진다. 소비적이고 일회적인 것이 아니라 결국에는 생산적이고 반복적인 것을 위함이다. 이처럼 아이누족의 곰축제가 갖는 원시성은 완벽한 신인합일의 희구와 일상의 재생성을 보여준다. 그러므로 이 곰제의는 축제의 원형과 제의의 시원을 함께 드러내는 사례라 하겠다. 그래서 제의이자 축제라 불리는 것이고 곰은 인간과 신의 세계를 이어주는 중재자 역할을 한다.

e-3. 한국의 무속

 마지막으로 한국의 축제 역시 그 연원은 신화시대의 시간, 성역관념, 종교적 신앙적 주체와 연관된다. 전통적 농경사회가 그 기반이 된다. 삼국지, 위지 동이전 등에 보이는 고천 제의의 국중 대회는 풍요제의의 계절적 감각을 띠고 있다. 계절에 맞추어 풍요 의식으로서 죽음과 삶을 재현하고 부활과 생명력·활성의 획득을 시도하는 제의의 기본적 구조는 보편적이다. 그것은 창조적 어둠과 카오스 속에서 우주 창생과 천지창조를 이루어낸 초자연적 권능에 기대어 일상에 의해 쇠퇴해버린 생명력과 활성의 소생과 회복을 기대하는 주술 심리적 고대 심성의 발로라 할만 하다. 어둠과 카오스 가운데서 창조의 대업을 이루어낸 신화를 재연하는 의식절차의 집행자이자 고대의 사제는 '무당'이며 그들이 집행하는 제의 절차는 오늘날 일반적으로 무속, 샤머니즘으로 불리운다.
작은 공동체 집단인 마을에서 벌어지는 동제洞祭가 대부분 무속적 마을 굿인 경우 그 '굿'이라는 표현 자체가 잔치, 향연의 뜻을 포함하는 축제적 성격을 띤다.

이런 무속적 마을굿은 동해안 별신제처럼 여러 지역 공동체와 연계하여 보다 대규모의 무속적 제의를 거행한다. 이런 무속적 제의가 종교적 신앙적 측면을 강조하며 기복 신앙의 형태를 띤다 해도, 그것은 제의의 구술상관물로서의 신화적 측면과 그 신화의 재연에 따르는 '창조적 카오스'의 재현이라 볼 수 있다.

한국의 무속

무속 제의 절차는 크게 나누면, 부정거리, 영신, 가무오신, 그리고 신탁이라고 하는 예언의 공수, 그리고 송신거리로 이루어진다. 소단위 단락의 굿거리가 여러개 모여 대단위 무속 제의를 형성하게 되는데 이런 대단위 무속 제의 절차는 경기도 굿의 경우 부정거리, 가만

거리, 만명거리, 산상거리, 성주맞이, 별성거리, 대감놀이, 제석거리, 호귀거리, 군웅거리, 창부거리, 뒷전 등 열두거리 기본구성으로 이루어져있다.

이 열두거리는 한국의 연희 전승 체계의 기본 구조이며 이 구조는 지역의 역사와 환경에 따라 7,8거리로 축소되어지거나 20여 과정으로 확대되기도 한다. 시간이 흐르면서 새로운 구경거리로서의 굿거리가 첨가되면서 굿놀이의 축제적, 놀이적 성격은 강해지고 있다.

신성한 제의 절차 가운데 노래와 춤이 어우러지고 세속적인 성의 에로스가 몸짓으로 연희되며 이것은 사회 불평등에 대한 저항의 은유 역할을 한다.

탈춤같은 민속 예능은 풍요기원과 계절제의의 일환으로 연희되었던 가무오신이나 뒷전거리의 축제적 놀이적 절차가 일부 쇠퇴나 절차의 탈락으로 독립 전승된 일부일 가능성이 있다.

무속제의가 한국의 고대 신앙 체계의 전승 형태라면 오늘날 남아있는 마을굿이나 향토 축제의 '가무오신' '뒷전거리' '무감(서기)'같은 현상은 신화적 카오스를 추상追想하고 추체험하는 원초적 신앙공동체의 행위 양식이다. 축제를 통해 추체험하는 난장은 새로운 창조이며 세속적 현실에서 잃어버린 생명력과 활력을 획득해가는 과정이다. 근원 회귀의 신화적 시간, 성역, 그리고 신앙 주체에의 귀의를 통해 우리의 축제는 낭비나 일탈이나 파괴의 양상을 지양한다. 그리고 이런 난장의 조성은 근원회귀의 징표이다.

 f. 축제와 불火

독일 뢰데시와 제주시 들불축제를 살펴보자. 세시행사
는 각 민족의 생업과 밀접한 연관을 가지며 발전한다.
다양한 민속 행사 가운데 불놀이는 큰 역할을 해왔는
데 불이 갖는 의미는 불과 관련된 동서양의 다양한 전
통 문화들을 살펴보면 알 수 있다.

불과 관련된 민속으로는 새해를 맞이하여 겨울의 음기
를 없애고 대지에 봄기운을 더해 한해의 생산력을 촉
진하는 정초의례, 하지 동지 춘분 추분같은 계절적 통
과의례, 동식물의 번식, 다산, 성장을 위한 감응의례,
사당의 산신제나 부락제 등에서 보이는 ,부정한 것을
정화하고 잡귀를 물리치는 벽사의례 그리고 경배의례
와 같은 여러 연중 행사들이 있다. 이는 물론 불이 지
닌 강한 상징성에 기인한다.

또한 불은 일상에서 빛과 따스함, 음식을 조립하는 도
구로 사용된다. 그리고 불순물과 부정한 것을 정화하는

역할을 한다. 그리고 화학작용을 통해 일체의 것들을 무형체로 바꾸며 초자연적 영역으로 전이시키는 기능을 한다. 그래서 불은 고대 이래 민간풍속과 종교의례에서 생명, 풍요와 벽사력에 관한 표상으로 나타났다.

f-1. 독일 뢰데시 불축제

독일민족도 이런 불과 관련된 다양한 축제를 즐겨왔는데, 불놀이는 주로 여름에 집중돼 있다. 불놀이의 종류로는 크게 짚의 횃불을 들고 다니는 놀이, 불이 붙은 원반을 던지는 놀이, 짚으로 싼 수레바퀴를 동산에서 굴리는 놀이, 불 위를 뛰는 놀이, 장식된 짚 인형을 태우는 놀이 등이 있다.

 물론 유사형태를 지닌 불놀이라 해도 세시에 따른 축제의 의미성은 차이를 보인다. 그 예로, 사육제의 불놀이는 겨울과 여름의 대결 양상과 여름의 승리를 기원하는 의례를 보이면서 한해의 생산력을 촉진하고자 한다.

독일 불축제

부활절 불놀이는 새로운 생명의 도래와 태양을 초대하는 의미를 담고 있다. 성 요한제는 태양의 정점인 하지를 맞아 하늘에 경의를 표하는 의미로 불을 피우고, 성 마틴제는 농경 추수제가 지닌 기쁨을 표현하는데, 이듬해의 좋은 결실을 기원하는 감사제의 일종이라 할 수 있다.

독일의 불놀이는 특히 춘분 후 첫 번째 만월을 지나 맞게 되는 부활절에 독일의 중부와 서부의 많은 지역에서 행해진다. 그중 독일 서부 도시 뢰데는 작은 도시지만 불과 관련된 축제로 세계적으로 유명한 곳이다.

이는 민간신앙 풍습을 기독교적으로 의례화해서 상징적으로 행하는 것이지만 기원은 고대부터 봄을 깨우는 주술적 행위에 있다. 불타는 수레바퀴를 동산에서 굴리는 관습은 사라져가는 겨울을 보내고 다가오는 여름을 재촉하려는 태양 주술과 깊은 관련을 갖는다.

이 불火행사의 유래는 대략 2000년전 기독교 전파 이전 게르만족의 태양 숭배에 기원을 두고 있다. 신화속의 이들 조상들은 불에 애착을 느꼈으며, 불 수레바퀴는 다가오는 봄에 대한 기대를 일깨우는 역할을 했다.

고대 게르만 세계관은 태양이 전투용 마차를 타고 하늘을 횡단하는 전사의 왕으로 생각했다. 따라서 불 수레바퀴와 관련된 의례는 천상을 가로질러 회전하는 태양을 모방하여 지상으로 빛과 열을 확보하고자 하는 태양의 주술의식이 바탕이 되었다.

그리고 이 불놀이들 속에는 기독교에 의해 민간신앙이 억압받으면서도 잔존하고 있음이 드러난다. 즉, 이들 부활절 불놀이는 기독교 개종 이전의 게르만족의 봄 축제중 가장 중요한 행사였다.

f-2. 제주의 들불축제

제주의 들불축제는 정월대보름에 연희되는데 이 행사

는 가축 방목을 위해 해묵은 풀을 없애고 병충해를 방제하기 위해 마을별로 매년 해 온 들불 놓기에서 유래했다.

정월 대보름은 예부터 생산을 하지 못했던 겨울을 보내고 새로이 봄을 맞아 생산에 참여하는 시점을 상징했다. 이것과 함께 농경민들은 한해의 소원과 풍작을 빌고 부정한 것을 정화하는 봄맞이 잔치의 의미로 이 행사를 거행한다.

제주 들불축제

축제는 불놀이 행사에 앞서 다양한 프로그램을 보이는데, 제주 조랑말의 말싸움 놀이, 돼지·오리몰이 경주, 민속 노래 자랑 등이 있고 주변에 특산품이나 주막, 음식점들이 즐비하게 늘어서고 사진교류전 등이 열린다.

행사의 핵심은 대보름 저녁에 펼쳐지는 오름 들불놓기와 그해의 수만큼 터지는 불꽃놀이라 할 수 있다.

횃불 점화와 달집 점화를 시발로 해서 준비해 둔 언덕에 불을 놓는다. 불을 통해 잡귀를 쫓고 액을 달아나게 해서 1년 동안 아무 탈 없이 지낼 수 있다고 믿어온 민간 신앙에 기초하여 자욱한 연기와 함께 불을 사방에서 일어나게 하여 온 들판이 불로 장관을 이루게 만든다. 불의 크기에 따라 그해 농사의 풍흉 또는 그 마을의 길흉이 점쳐진다.

정월대보름은 지금은 그 명성을 많이 잃었지만 설날, 단오, 한가위와 더불어 한국인의 4대 명절 가운데 하나다. 이 대보름 민속 행사에는 특히 불과 관련된 많은 민속 놀이가 있어, 들불놓기, 쥐불놀이, 횃불싸움, 불깡통 돌리기, 달집 태우기, 도깨비불 보기 등이 있다.
제주도의 민속에서 정월 대보름날은 '액 막는 날'로 지켜져 왔다. 주로 불을 지펴 사악한 것이 가져올 불행과 재앙을 예방하는 액막이로 또는 불기운을 쏘여서 인간이나 식물을 정화하는 기능을 행하였다. 생업에 있어서는 방목을 위해 들판의 마른 풀에 붙어있는 해충을 비롯한 잡충을 제거하고 타고 남은 재는 건강한 자연 초지를 이루었다.

제주도와 함께 이러한 대보름 불놀이는 강릉 망월제, 청도 달집 태우기, 금산 장동의 달맞이 축제와 경남 창령 화왕산의 억새 태우기 행사가 있다.

제주도의 불놀이는 이곳 무속신앙과 깊은 관계를 맺어왔다. 제주 전역에 퍼져있던 당제에서 무당이 굿을 하고 최종적으로 신에게 송신할 때 모든 것을 불사르는 풍습을 통해 불놀이의 민간신앙적 벽사력의 성격이 확인된다.

이상 독일과 우리의 불놀이 축제를 살펴보았다. 독일의 부활절 불놀이는 겨울의 음기를 없애고 다가오는 태양의 힘을 보태고 태양의 운행을 모방하는 연행이었던 반면, 제주의 정월 보름 불놀이는 우리의 농경문화와 관련하여 부정한 것을 정화하고 액운을 물리치는 벽사의 기능이 두드러졌다.

그리고 이 두 축제는 전승형 축제모델과 산업형 축제모델, 이 두가지 민속축제 유형으로 나눌 수 있는데 독일의 것은 오랜 전승과정을 거치면서 지역민들의 자발적 참여와 애향심에 기반한다.

이상 축제의 다양한 개념과 정의를 살펴보고 세계의 여러 축제들을 살펴보았다. 그 중에서 일본 아이누족의 곰제의는 희생과 제의라는 프로이트적 터부의 개념을 환기시키는 좋은 예라 할 수 있다. 축제란 무릇 현장감을 필요로 하는 테제다.

축제는 일탈과 광기의 순간이며 유토피아를 희구할 수 있는 시간이다. 그러나 그것이 곧 현실을 부정하는 것은 아니며 오히려 일상으로의 복귀를 위한 재충전의 시간으로 해석해야 할 것이다.

또한 축제는 민중들이 자신의 한풀이를 하는 수단이면서 동시에 위정자들의 통치 수단으로 이용되기도 한다.

류정아. 『축제인류학』. 서울:살림, 2003.

장 뒤비뇨 지음 ·류정아 옮김. 『축제와 문명』. 서울:한길사. 1998.

여홍상 엮음. 『바흐친과 문화이론』.서울:문학과 지성사. 1995.

지그문트 프로이트 지음· 이윤기 옮김. 『종교의 기원』.서울:열린책들, 2004.

류정아 외 지음. 『축제와 문화』.연세대학교 출판부, 2003.

울리히 쿤 하인 편· 심희섭 옮김. 『유럽의 축제』.서울:북 21 컬처라인, 2001.

김선풍 외 지음. 『아시아인의 축제와 삶』.서울:민속원, 2001.

김면 외 지음.『축제로 이어지는 한국과 유럽』.연세대학교 출판부,2004.

낭만주의는 페시미즘이다

발   행 | 2024년 3월30일
저   자 | 박순영
펴낸이 | 로맹
펴낸곳 | 로맹
출판사등록 | 2023.12.14
주   소 | 서울특별시 성북구 보국문로 30길15
이메일 | jill99@daum.net

ISBN | 979-11-986265-3-0

www.romainpublish.modoo.at